D0734082

MEURTRE DANS LE VIEUX NICE

DANS LA MÊME COLLECTION :

- ❑ N° 1 — HIGGINS MÈNE L'ENQUÊTE
- ❑ N° 2 — MEURTRE AU BRITISH MUSEUM
- ❑ N° 3 — LE SECRET DES MAC GORDON
- ❑ N° 4 — CRIME À LINDENBOURNE
- ❑ N° 5 — L'ASSASSIN DE LA TOUR DE LONDRES
- ❑ N° 6 — LES TROIS CRIMES DE NOËL
- ❑ N° 7 — MEURTRE À CAMBRIDGE
- ❑ N° 8 — MEURTRE CHEZ LES DRUIDES
- ❑ N° 9 — MEURTRE À QUATRE MAINS
- ❑ N° 10 — LE MYSTÈRE DE KENSINGTON
- ❑ N° 11 — QUI A TUÉ SIR CHARLES ?
- ❑ N° 12 — MEURTRES AU TOUQUET
- ❑ N° 13 — LE RETOUR DE JACK L'ÉVENTREUR
- ❑ N° 14 — MEURTRE CHEZ UN ÉDITEUR
- ❑ N° 15 — MEURTRE DANS LE VIEUX NICE
- ❑ N° 16 — QUATRE FEMMES POUR UN MEURTRE
- ❑ N° 17 — LE SECRET DE LA CHAMBRE NOIRE
- ❑ N° 18 — MEURTRE SUR INVITATION
- ❑ N° 19 — NOCES MORTELLES À AIX-EN-PROVENCE
- ❑ N° 20 — LES DISPARUS DU LOCH NESS
- ❑ N° 21 — L'ASSASSINAT DU ROI ARTHUR
- ❑ N° 22 — L'HORLOGER DE BUCKINGHAM
- ❑ N° 23 — QUI A TUÉ L'ASTROLOGUE
- ❑ N° 24 — LA JEUNE FILLE ET LA MORT
- ❑ N° 25 — LA MALÉDICTION DU TEMPLIER
- ❑ N° 26 — CRIME PRINTANIER
- ❑ N° 27 — TIMBRE MORTEL
- ❑ N° 28 — CRIME AU FESTIVAL DE CANNES
- ❑ N° 29 — BALLE MORTELLE À WIMBLEDON
- ❑ N° 30 — HIGGINS CONTRE SCOTLAND YARD
- ❑ N° 31 — MEURTRE DANS LA CITY
- ❑ N° 32 — UN PARFAIT TÉMOIN
- ❑ N° 33 — MEURTRE SUR CANAPÉ
- ❑ N° 34 — LE CRIME D'IVANHOÉ
- ❑ N° 35 — L'ASSASSIN DU GOLF

Bon de commande par correspondance
en fin de volume

J.B. LIVINGSTONE

MEURTRE DANS LE VIEUX NICE

EDITIONS GERARD DE VILLIERS

ISBN 2-7386-0273-8

CHAPITRE PREMIER

L'air tiède et embaumé du novembre niçois enchantait Ségurane Guini. La grande cité des Alpes-Maritimes, bien protégée des vents du nord, ignorait avec superbe les automnes brumeux et froids. Dans l'eau bleue de la baie des Anges, s'ébattaient des baigneurs qui, avec un peu d'entraînement, pratiqueraient encore le crawl en décembre. La veille, la jolie Ségurane, à la taille fine, aux cheveux et aux yeux noirs, s'était prélassée près d'un bois d'orangers avant de s'endormir dans les bruyères. Errant parmi les pins parasols, elle avait couru sur la terre rouge et fredonné la vieille chanson : « C'est toi le beau pays des fleurs, tes flots sont d'azur, ton ciel est pur ; c'est toi mon cher pays, la joie de mon enfance, c'est toi, Nice de France. » Provence, Alpes, Ligurie et Piémont avaient façonné l'âme de cette ville où le monde entier venait chercher une douceur de vivre, protégée par un écrin d'acacias, d'eucalyptus, de cyprès, de cèdres, de mimosas, d'orangers, de citronniers, de figuiers et d'oliviers. Une symphonie d'arbres et de plantes se jouait tout au long d'une année où l'hiver n'occupait qu'une maigre place. A peine osait-il, cinq ou six fois par siècle, pointer son doigt de givre et déposer sur les palmiers un léger manteau de neige.

Ségurane aimait Nice, Nice aimait Ségurane. Chacun regardait d'un œil attendri la plus belle marchande de fleurs de la cité. Sur le marché, elle attirait la grande foule. Dans ses mains souples et douces, les œillets semblaient plus vifs, presque éternels. Les bouquets confectionnés par Ségurane, rassemblés dans de petits paniers aux couleurs de Nice, partaient par trains spéciaux pour les capitales européennes qu'ils illumineraient de leur soleil.

Le dimanche, la jeune femme se promenait dans la campagne, montait au sommet des collines couvertes de genièvre et d'asphodèles, cueillait lavande et menthe qui poussaient dans la pierraille, se perdait dans les vallées sinueuses peuplées d'oliviers ou de citronniers, passait des heures à contempler la mer. Comment se rassasier de cette lumière qui augmentait l'éclat des couleurs et faisait vibrer mille nuances qui rendaient unique chaque heure du jour ? Les Niçois étaient passés maîtres dans l'art du bonheur de vivre et la jeune femme était bien décidée à ne pas trahir cette délicieuse vocation.

Ce matin-là, cependant, Ségurane se sentit en proie à une humeur vagabonde. Dès qu'elle sortit de son petit logement du Vieux Nice, elle comprit la raison de sa déprime. Venant d'Italie, un vent du sud-est s'était levé. Il annonçait la pluie, peut-être même une tempête qui soulèverait les vagues de la Méditerranée et les projetterait sur la Promenade des Anglais. Un jour de mauvais temps, passait encore, mais si ce dernier se prolongeait... Ségurane n'osait y penser ! A demi morts de froid, le front bas, rasant les murs, les Niçois ne tarderaient pas à prédire la fin du monde. Par bonheur, le soleil ne s'avouerait pas longtemps vaincu et repousserait les colonies de nuages qui tentaient d'envahir l'azur. Ségurane s'arma de courage et prit la direction du marché aux fleurs. Parfois, il fallait braver les éléments.

A chaque fois qu'elle passait devant la ruelle Saint-Martin, elle éprouvait un sentiment de malaise. C'était l'un des rares endroits sinistres du coquet Vieux Nice, aux artères pimpantes. Ici, la lumière ne pénétrait pas. D'une placette partait une voie très étroite bordée de maisons aux murs humides, penchés les uns vers les autres et se touchant presque. Aux fenêtres, était accroché du linge sale entre des gousses d'ail. Ségurane jetait toujours un œil inquiet sur la lanterne où, disait la légende, s'était pendu un poète désespéré de ne pouvoir traduire la beauté dans ses vers. Honteuse d'avoir eu peur, la jeune femme s'éloignait vite.

Mais, ce matin-là, elle s'arrêta. Sous la lanterne, un corps allongé. Sans doute un clochard qui avait abusé d'un vin à la cuisse trop ferme. Intriguée, la jeune femme s'approcha. L'homme avait peut-être été victime d'un malaise.

— Monsieur... vous allez bien?

Il ne bougeait pas. Elle l'interpella de nouveau, sans davantage de résultat. Le cœur battant, elle avança. A un mètre du malheureux, elle découvrit enfin l'atroce réalité. L'horreur la saisit au point de l'empêcher de crier.

L'homme avait le crâne défoncé. Près de sa tête, un boulet de canon ensanglanté. Les lèvres du mort, violettes, étaient collées avec du papier grossier. Autour du cou, une corde. En plein cœur, un poignard au manche de nacre orné d'une croix.

Ségurane Guini s'agenouilla, prit dans ses mains la dextre du mort. Des larmes roulèrent sur ses joues.

— Oh! non, murmura-t-elle, pas toi... surtout pas toi!

CHAPITRE II

La femme de chambre posa le plateau chargé de scones, de toasts au concombre, de marmelade d'oranges, de cake aux vrais fruits et d'œufs au bacon. La charmante brunette sourit à l'ex-inspecteur-chef Higgins qui, vêtu de sa veste d'intérieur aux écussons de sa famille, fleurait déjà bon la lavande la plus traditionnelle de chez Yardley, créée au dix-huitième siècle. L'homme du Yard rendit son sourire à la jeune personne qui le gratifiait d'un petit déjeuner aussi appétissant. Il souleva le couvercle du pot en argent et découvrit avec une profonde satisfaction qu'elle lui avait bien apporté du café. Higgins était le seul sujet de Sa Gracieuse Majesté que le thé rendait malade. Préserver ce lourd secret faisait partie de ses luttes quotidiennes.

La femme de chambre esquissa une révérence et se retira. L'ex-inspecteur-chef apprécia cette marque de distinction qui caractérisait quelques établissements attachés à la tradition, comme l'hôtel *Westminster* de Nice. Si Higgins l'avait pré féré au *West End*, c'était à cause de sa ressemblance avec le *Old Winter Palace* de Louqsor où il avait connu quelques-unes des rares heures enchanteresses de son séjour sur terre : même allure de palais sans prétention, même façade rose, même terrasse extérieure. Ici, elle ne donnait pas sur la corniche du bord du Nil mais sur la Promenade des Anglais, déjà inondée de soleil. Un seul détail gênant : le *Westminster* était à l'angle de la rue Meyerbeer, compositeur particulièrement médiocre qui heurtait les oreilles mozartiennes de Higgins, déjà inquiet de la chaleur torride qui risquait d'accabler l'automne niçois. Certes, la présence d'une avenue Shakespeare avait quelque chose de rassurant et prouvait que cette ville de France échappait à la barbarie. Mais l'ex-inspecteur-chef regrettait déjà les brumes et le vent glacial de sa propriété The Slaughterers, où son chat Trafalgar, pelotonné devant un bon feu de bois, attendait son retour.

Higgins détestait la chaleur et les voyages. S'il avait quitté prématurément le Yard, où on lui promettait les plus hautes fonctions, c'était pour se consacrer à la lecture des bons auteurs, à la taille de ses rosiers et aux longues promenades dans la forêt, sous une pluie toujours égale à elle-même. De taille moyenne, l'air bonhomme, les cheveux noirs, la lèvre supérieure ornée d'une moustache poivre et sel lissée avec le plus grand soin, l'ex-inspecteur-chef avait davantage l'air d'un confesseur prêt à toutes les indulgences que d'un policier implacable.

Mais l'œil vif et malicieux démentait l'allure presque pataude qui avait abusé plus d'un suspect.

Lorsque Higgins avait accepté l'invitation de Scott Marlow, qui souhaitait la présence du meilleur « nez » du Yard au congrès mondial de criminologie de Nice, le superintendant avait de nouveau cru aux miracles. Il n'avait même pas eu à supplier. Sans doute l'ex-inspecteur-chef attachait-il plus d'importance qu'il ne voulait le laisser paraître aux progrès scientifiques de la police moderne.

Higgins nota qu'avec vingt années d'écart, la qualité des œufs au bacon de l'hôtel *Westminster* n'avait pas baissé. Dans un monde en proie aux désordres les plus variés, il demeurait quelques havres de paix. En déjeunant, il regarda la reproduction d'un tableau, qu'il avait emporté dans sa valise : une vendeuse de primevères due au pinceau de Francis Wheatley, de la Royal Academy. Accompagnée d'un chien, la jolie marchande offrait négligemment des fleurs à une petite fille au regard triste. Elle-même affichait une allure aristocratique qui contrastait avec sa tenue. Enigmatique, lointaine, elle paraissait perdue dans des pensées impossibles à déchiffrer.

Comment expliquer à Scott Marlow qu'il avait fui le Gloucestershire pour échapper à l'une des plus folles entreprises de Mary, la gouvernante immortelle qui, à soixante-dix ans passés, avait décidé de repeindre en totalité l'intérieur du cottage? Imperméable à toute critique et à tout conseil, elle avait engagé de dangereux barbouilleurs qui n'épargneraient même pas le grand salon et le bureau de Higgins. Sous prétexte de salubrité, elle obligeait l'ex-inspecteur-chef à s'exiler pour ne pas succomber aux agressions olfactives perpétrées par les produits chimiques.

On frappa. La femme de chambre lui apportait le *Times*, qu'il pourrait enfin lire avant Mary, qui avait pris la détestable habitude d'ôter la bande d'abonnement et de la replacer avec la certitude que Higgins ne s'apercevrait de rien.

En première page, une surprenante nouvelle : un noble anglais, le duc Andrew de Stonenfeld, venait d'être assassiné dans le Vieux Nice, de manière tout à fait spectaculaire. Avec son sérieux habituel, le *Times*, qui se gaussait sans excès de la tenue du congrès mondial de criminologie dans la même ville, rappelait que le duc possédait l'une des plus anciennes fortunes du Royaume-Uni, maintenue à grand renfort de spéculations boursières, et que sa famille, dont la noblesse remontait au Moyen Age, était liée de manière assez lâche avec la Couronne. Le père du duc, héros de la Seconde Guerre mondiale, s'était éteint une dizaine d'années plus tôt en léguant à son fils unique un lourd portefeuille d'actions, un château dans le Sussex et une somptueuse villa à Nice, sans compter quelques présidences de sociétés commerciales. La police française, étonnée par la violence du crime et la multiplicité des moyens utilisés pour supprimer l'aristocrate, se refusait à toute déclaration.

On frappa de nouveau à la porte. A la place de la femme de chambre, se tenait le superintendant Scott Marlow. Le front bas, le teint rougeaud et l'embonpoint prononcé, le policier avait l'air surexcité.

— Un scandale, Higgins, un épouvantable scandale ! Même le *Times* en parle...

— La mort est toujours scandaleuse, mon cher Marlow.

— Un duc anglais assassiné en plein congrès !

— Ne vous avais-je pas prié d'éviter de m'importuner avant neuf heures ?

— Certes, Higgins, certes... mais l'urgence de la situation...

— Le duc Andrew peut patienter.

Marlow, choqué, se contint. Il avait besoin de son collègue, annoncé comme l'une des vedettes du congrès.

— Cela m'ennuie de vous le dire, Higgins, mais votre absence répétée aux séances a été regrettée.

— L'arthrite du genou. Je ne pouvais pas marcher.

La détresse du superintendant toucha Higgins. Il ne pouvait pas laisser un compatriote à la dérive près d'une mer étrangère.

— Parlez, mon cher Marlow.

— Eh bien voilà... les membres du congrès souhaiteraient votre intervention. Très discrète, bien entendu. Au terme des travaux, il faudra remettre des rapports qui conditionneront les crédits pour le prochain congrès. Supposez que l'assassin du duc n'ait pas été identifié... nous serions tous ridicules ! Et les progrès de la criminologie seraient interrompus.

Le ridicule tuait encore, bien que plus lentement qu'autrefois, admit Higgins.

— Vous ne pouvez pas abandonner les meilleurs criminologistes du monde, implora le superintendant.

Higgins n'avait aucune estime particulière pour les spécialistes du meurtre, qui passaient leur temps à faire des recherches sans rien trouver. Mais l'opprobre retomberait fatalement sur Marlow et, à travers lui, sur Scotland Yard. Voir entaché le renom de la plus célèbre police de la planète était gênant. Accepter cette dégradation sans réagir serait choquant. Comme Higgins jouissait du privilège d'être en vacances, il pouvait les occuper avec dignité.

— Que savez-vous sur le meurtre ?

— Le duc est mort plusieurs fois. Je veux dire qu'on l'a assassiné de diverses manières.

— Lesquelles ?

— On lui a défoncé le crâne avec un boulet, planté un couteau dans le cœur, on l'a étranglé avec une corde et empoisonné. Les spécialistes débattent pour savoir quelle fut la blessure la plus mortelle.

— Est-on bien sûr que le duc est mort, au moins ?

— Higgins ! Ne trouvez-vous pas que l'épreuve est assez cruelle ?

— Avec les hommes, le pire est toujours certain. Autres indices?

— Un œillet à la boutonnière.

— Utilisé comme arme?

— Apparemment pas. Dans son gousset, le duc avait glissé une montre en or avec des brillants. Dans sa poche, une petite fortune en billets de banque. Plusieurs spécialistes en ont conclu que le vol n'était pas le mobile du crime.

Higgins ouvrit son carnet noir et, à l'aide d'un crayon finement taillé, commença à prendre des notes. Marlow se sentit empli d'un nouvel espoir.

— Vous... vous acceptez?

— Disons que mon arthrite va mieux.

CHAPITRE III

Le commissaire Antoine Martini se servit un pastis sans alcool et n'en proposa pas à ses hôtes anglais, dont la présence contrariait son emploi du temps. Toine, comme l'appelaient trop familièrement ses proches, souffrait d'un diabète gras qui le contraignait à faire des siestes prolongées. Non seulement il avait sur le dos une affaire criminelle, mais encore deux collègues de Scotland Yard qui lui posaient des questions énervantes. Il redoutait surtout le rougeaud à l'imperméable, qui avait présidé une des sessions du congrès de criminologie. L'autre, avec sa moustache poivre et sel, était moins énervé.

— Vous devez nous comprendre, insista Scott Marlow. Nous voulons vous aider, d'autant plus que la victime est anglaise.

— Vous devez comprendre que nous sommes à Nice, en territoire français depuis des siècles!

— Seulement depuis 1860, rectifia Higgins, lors du vote de la réunion définitive de Nice à la France.

Martini lança un regard noir à l'ex-inspecteur-chef.

— Nous ne sommes pas ici pour écrire l'histoire.

— Allez savoir...

— Nous aimerions seulement voir les pièces à conviction, demanda le superintendant.

— Ecoutez, messieurs, je n'ai pas l'intention de vous laisser mener une enquête qui relève de mes seules compétences. Assistez à vos séances, amusez-vous, causez entre spécialistes. Moi, je travaille. Et d'abord, vous voyez le mal partout. Ça ne m'étonnerait pas que ce maudit duc de Stonenfeld ait maquillé un suicide en crime pour ennuyer la police française.

Higgins empêcha Marlow de protester.

— Vous n'avez peut-être pas tort, M. Martini. Une telle mise en scène pourrait être l'œuvre d'un esprit détraqué. Notre noblesse, hélas, est parfois bien décadente.

Le commissaire se détendit. L'Anglais rendait les armes.

— Les indices m'intéressent à titre personnel, poursuivit Higgins. Pour ma collection privée, en quelque sorte. Quand je les aurai vus, je serai certainement rassasié. L'identification de l'assassin, s'il y en a un, ne saurait être que l'œuvre d'un spécialiste du terrain. Vous, en l'occurrence.

— En effet, reconnut Antoine Martini, presque souriant.

— Le plus tôt sera donc le mieux.

— Si ça peut vous faire plaisir...

Higgins eut le loisir d'examiner les armes du crime et les effets personnels du mort. D'après sa forme et son poids, le boulet devait dater du seizième siècle. Le couteau, également ancien, avait dû appartenir à un inquisiteur ou à quelque fanatique désireux de convertir les infidèles en leur plantant la croix dans le corps. Quant à la corde de chanvre, elle était d'excellente qualité. Le préposé, un Niçois enjoué qui en avait vu d'autres, ajouta que l'autopsie concluait à un empoisonnement par un toxique rare, et que le papier et la colle, utilisés pour clore définitivement la bouche de la victime, ressemblaient à ceux employés par les artistes pour fabriquer les masques et les chars du carnaval de Nice. L'œillet, déjà fané, se dessécherait dans la pochette en plastique où il avait été enfermé. Montre et billets se trouvaient déjà à l'abri dans un coffre spécial.

L'ex-inspecteur-chef s'attarda longuement sur les chaussures du duc.

— Possédez-vous une lampe de forte puissance?

— Moi, non... mais le commissaire...

Martini, muni du précieux objet, ne tarda pas. Le visage grave de Higgins l'intrigua.

— Que se passe-t-il?

— Je crois avoir trouvé un indice intéressant.

Etonné par cette volonté de coopération, le commissaire ne ferma pas la porte. Si l'Anglais était assez naïf pour lui remettre toutes les cartes, pourquoi ne pas en profiter?

— Voici une chaussure en cuir d'excellente qualité, dit Higgins. Regardez avec attention les six égratignures sur le bord avant gauche. C'est tout à fait anormal. Jamais un Anglais d'une aussi vieille noblesse n'aurait accepté de porter une chaussure affligée d'un tel défaut, à moins de s'en servir comme message.

— Un message?

— Ce n'est pas tout. Le bord de la semelle, à l'endroit où je pose mon index...

Le commissaire se pencha.

— Il est évident que quelqu'un a gratté violemment pour ôter de la terre.

— C'est bien possible... et qu'en concluez-vous?

— Rien encore. Il faudrait une étude scientifique très poussée.

— Nous sommes équipés pour. Autre chose pour votre service?

— Tâchez de découvrir le pot-aux-roses, comme on dit dans votre belle langue.

Pendant que Martini entamait une enquête patiente et méticuleuse, des commissions s'organisèrent au sein du congrès de criminologie. L'étude du dossier, dont les éléments étaient connus par diverses indiscrétions provenant des milieux autorisés, aboutit à des conclusions aussi définitives que divergentes. Pour les uns, il y avait plusieurs assassins qui avaient agi en même temps; pour d'autres, ils s'étaient succédés; pour d'autres encore, l'unique assassin avait hésité ou bien s'était acharné sur un cadavre haï au-delà de toute raison. L'hypothèse d'une macabre mise en scène ne fut pas écartée. Certains congressistes, enfiévrés par leurs travaux, faillirent en venir aux mains. Il leur restait une semaine pour donner, grâce aux méthodes d'investigation modernes, la solution de l'énigme.

Au grand dam de Scott Marlow, Higgins songeait surtout à se protéger du soleil et de la chaleur torride qui régnait sur Nice. Avec 19° à cette époque de l'année, on se rapprochait du climat saharien. Précautionneux, l'ex-inspecteur-chef s'était muni d'un chapeau à larges bords, de chemises légères, de pantalons de toile et de lunettes filtrantes.

— Comment comptez-vous procéder, Higgins?

— D'abord en nous reposant. Avec ce temps, nous risquons la congestion.

Marlow se méfia. Il connaissait Higgins depuis de nombreuses années et savait que, lorsqu'il se lançait sur la piste d'un assassin, il ne s'accordait aucun repos. Aussi le superintendant fit-il les cent pas sur la Promenade des Anglais, tout en surveillant l'entrée de l'hôtel de Higgins.

A 14 h 12, l'ex-inspecteur-chef sortit du *Westminster* et se dirigea vers le jardin Albert-Ier, oasis de verdure créé au-dessus du Paillon. Il ne s'attarda pas devant le monument qui commémorait la réunion de Nice à la France, jeta un œil à la grotte surmontée d'une terrasse et s'arrêta devant la fontaine des Tritons, où il conversa avec une chaisière. Puis il s'éloigna à pas tranquilles et s'attabla à la terrasse d'un café. Le superintendant, sans perdre de vue son collègue, interrogea la chaisière, une petite vieille aux cheveux blancs.

— Désolé de vous importuner, mais j'appartiens à la police.

— Avec votre accent ?

— Scotland Yard.

— On les aime bien, les Anglais, à Nice. Ils sont polis et me louent volontiers des chaises. Vous en voulez une ?

— Bien sûr, répondit Marlow, en sortant quelques francs de sa poche. Je ne voudrais pas être indiscret mais vous avez échangé quelques mots avec un de mes amis. J'aimerais savoir...

— Si c'est l'un de vos amis, vous devriez savoir.

— Nous sommes en concurrence sur une petite affaire. Il l'a peut-être évoquée ?

— Non, je ne crois pas.

— Il n'a pas parlé d'un aristocrate britannique ?

La petite vieille sourit en tendant la main. Marlow y déposa d'autres pièces.

— Moi aussi, je les aime bien, les Anglais.

— De quoi avez-vous donc parlé ?

— Il m'a posé des questions sur une jeune fille.

— Une jeune fille ?

— Une marchande de fleurs. Je ne peux pas vous en dire plus.

Elle s'occupa d'un autre client. Le superintendant, intrigué, traversa la rue en biais, de manière à ne pas être repéré par Higgins, qu'il filerait aussi longtemps que nécessaire.

L'ex-inspecteur-chef lui adressa un signe de la

main droite. Bougon, Marlow vint s'installer à la table.

— Pourquoi vous donner tant de peine, mon cher Marlow? Je vous ai commandé un whisky. Avec cette chaleur, vous devez être mort de soif.

— C'est-à-dire...

— Le *Times* est un journal tout à fait remarquable. Puisqu'il nous indique l'endroit précis où le cadavre a été découvert, pourquoi ne pas nous y rendre?

CHAPITRE IV

Un délicieux vent frais balayait la Promenade des Anglais, dont les sept kilomètres de long s'étendaient de l'embouchure du Paillon au promontoire du château. Ouverte en 1820 et plantée de palmiers et de lauriers-roses, elle avait vu d'innombrables flâneries de Britanniques riches et désœuvrés, venus emplir poumons et narines de l'air lumineux de Nice la douce. Higgins avait besoin, lui aussi, de cette pureté avant de s'enfoncer dans le dédale d'une affaire criminelle qu'il pressentait hors du commun. L'ex-inspecteur-chef regarda d'un côté la plage de galets baignée par une mer paisible et, de l'autre, les réverbères, dont les plus anciens avaient assisté, en 1876, à la première bataille de fleurs jetées sur les attelages des lords anglais. Çà et là, Higgins discernait les traces d'un modernisme inquiétant, qui, s'il s'aggravait, risquait de transformer la cité, fondée en 350 av. J.-C. par des colons grecs venus de Marseille, en une ville trépidante, esclave du bruit et de l'automobile.

— A quoi songez-vous, Higgins ?

— A un monde qui se meurt. Mais l'heure n'est pas au rêve.

Les deux hommes pénétrèrent dans la partie la plus ancienne de la ville par la Porte Fausse, devant laquelle passait la rue du marché. La frontière franchie, se déployaient les fastes secrets d'une cité des dix-septième et dix-huitième siècles, occupée par les Français, rendue à la Savoie en 1748, devenue sarde à la Restauration. C'était là, dans ce labyrinthe de ruelles aérées par de petites places ornées de fontaines, que battait le véritable cœur d'un village secret où, parmi les maisons serrées les unes contre les autres, se cachaient de véritables palais aux richesses insoupçonnées. Le Vieux Nice était à jamais ancré dans une époque baroque, où des églises à la décoration chargée chantaient la gloire de Dieu par des stucs et des ors. Pauvres ou somptueuses, les façades des demeures refusaient la grisaille des capitales du Nord. Du jaune à l'ocre foncé, du vieux rose au rouge sarde, elles jouaient avec des couleurs tantôt tendres, tantôt violentes. Les volets, dont seule la partie inférieure se soulevait pour laisser passer l'air et non la lumière, sacrifiaient à diverses nuances de vert, du bleuté à l'olive. Les toits de tuile, entretenus avec soin, affirmaient l'originalité de la cité ancienne, qui défiait l'expansion du nouveau Nice, oublieux des formes du passé.

Le soleil ne pénétrait pas dans la ruelle Saint-Martin. Les fenêtres des maisons environnantes étaient fermées. Plus de linge, ni de gousses d'ail.

Le quartier avait pris le deuil en se réfugiant dans le silence. Les pavés, nettoyés à grande eau, ne présentaient plus aucune trace de sang. Les passants se faisaient encore plus rares qu'à l'ordinaire, dans ce coin retiré du Vieux Nice. Il faudrait plusieurs mois avant que le souvenir du crime ne se dissipât et que les riverains revinssent à une existence normale, où la légèreté de l'air méditerranéen reprendrait le dessus. Pendant une demi-heure, Higgins examina l'endroit mais ne prit aucune note.

— C'est ennuyeux, conclut-il.

— Pourquoi donc?

— Cet endroit est tout à fait muet. Il n'a rien à nous dire. Ce n'est pas ici que le duc Andrew a été assassiné.

— Sur quelle preuve se fonde votre jugement?

— Une simple intuition, mon cher Marlow.

Le superintendant, qui reconnaissait à contrecœur que son collègue avait résolu bien des affaires d'apparence inextricable, n'approuvait cependant pas ses méthodes. Négligeant les techniques modernes et les apports déterminants de la police scientifique, l'ex-inspecteur-chef continuait à se fier à des sensations et à des perceptions dont certaines appartenaient au domaine de l'irrationnel. Au Yard, certains prétendaient même que Higgins entrait parfois en communication avec les esprits. Bien entendu, Marlow rejetait vigoureusement cette hypothèse farfelue et scrutait avec attention la manière dont Higgins s'y prenait pour approcher de la vérité, qu'il résumait en deux mots : l'ordre et la méthode. Mais l'ex-inspecteur-chef ne disait pas tout. A force de patience, le superintendant découvrirait un jour son secret. Ne devait-il pas, précisément, évoquer cette mystérieuse jeune fille dont il avait parlé à la chaisière ? Aborder le problème était délicat. Higgins s'élançait déjà dans les ruelles du Vieux Nice, qu'il semblait connaître à la perfection.

— Où allons-nous ?

— Recueillir la déposition d'un témoin.

— Quelqu'un qui aurait assisté au crime ?

— Beaucoup mieux, mon cher Marlow, quelqu'un qui en a entendu parler.

A l'angle de la rue Benoît Brunico se trouvait une échoppe arabe aux volets verts, qui ressemblait à une boutique du Caire ou d'Alexandrie. A côté d'une vieille machine à torréfier le café, une grande quantité d'épices et d'herbes médicinales. Dès qu'il aperçut Higgins, le propriétaire, un vieil homme mal rasé, coiffé d'un bonnet rouge et vêtu d'une djellaba marron clair, se leva et se précipita vers l'ex-inspecteur-chef, auquel il donna une chaleureuse accolade. A l'ami retrouvé après une trop longue séparation, qu'il déplora en termes chantants, il offrit une tasse de café, de la ciboulette, de l'estragon et de la coriandre. Quelque peu choqué par le caractère démonstratif de ces marques d'affection, Scott Marlow se tint en retrait, jusqu'au moment où, à l'invitation de son collègue, il s'avança pour recevoir l'accolade de bienvenue. Regrettant la glorieuse époque de la reine Victoria, où le civilisateur britannique ne se mêlait pas aux indigènes, le superintendant se plia aux exigences du rituel.

Higgins et le marchand parlèrent une heure durant du goût inimitable des citrons d'Alexandrie, de la circulation des calèches, comparèrent la Méditerranée d'Egypte et celle de Nice, échangèrent quelques mots en arabe, célébrèrent la qualité d'un café aromatisé. Marlow se demanda si, une fois de plus, l'ex-inspecteur-chef ne perdait pas son temps. Il tendit pourtant l'oreille quand son collègue fit allusion à une jeune fille, allusion qui assombrit le visage jovial de l'épicier. Le moment de tristesse passé, on en revint à l'évocation des nuits d'Orient, de leurs senteurs parfumées et des rêves d'au-delà qui peuplaient les jardins des bords du Nil. Sans changer de ton, Higgins revint enfin sur terre :

— Un crime bien étrange, ruelle Saint-Martin.

— Bien étrange, acquiesça le commerçant.

— Connaissais-tu la victime?

— Le duc? Bien sûr. Un excellent client.

L'information était surprenante. Lorsque les Anglais avaient colonisé Nice, à partir de 1850, ils s'étaient tenus à l'écart de la vieille ville, qu'ils visitaient à peine.

— Habitait-il le quartier?

— Plus ou moins... c'est difficile à dire.

Scott Marlow aurait volontiers secoué l'épicier pour obtenir une réponse plus claire. Higgins la jugea suffisamment précise. Il ne s'agissait pas d'un interrogatoire mais d'une conversation amicale, dont chacun devait percevoir les nuances.

— Un homme expansif?

— Non. Il m'achetait des épices et du café, payait et s'en allait. Un homme triste, sauf ces dernières semaines. Son regard avait changé. On aurait presque cru qu'il devenait joyeux.

— Des ennemis?

— Qui n'en a pas?

— Tu les connaissais?

— Dans le commerce, on ne connaît personne. Toi, tu les trouveras, puisqu'ils n'ont pas quitté la ville.

— Soulèveras-tu un coin du voile pour me permettre de soulever les trois autres?

— La religion m'interdit de trahir mon prochain, mais elle ne t'empêche pas de poser la bonne question.

Higgins réfléchit. Enervé, Scott Marlow n'appréciait guère cette démarche orientale, qui contournait le but sans jamais l'atteindre.

— Qui a découvert le cadavre?

L'épicier hésita. Il s'était engagé, il devait répondre.

— Une jeune femme. C'est le hasard qui a conduit ses pas. Ne songe pas une seconde à l'accuser : ce serait offenser Dieu. Elle est un ange de douceur et de tendresse, venu illuminer notre monde et alléger la souffrance des jours.

— Tu me donnes envie de la connaître.

— Va au marché aux fleurs, mon ami, et fais confiance à ton regard : il saura distinguer la plus jolie des marchandes.

CHAPITRE V

Séparé de la baie des Anges par le quai des Etats-Unis, le cours Saleya, bordé de demeures aux façades jaunes, rouges, roses ou vert amande, accueillait le célèbre marché aux fleurs. Aux vieux lampadaires étaient accrochées des toiles, tendues au-dessus des étals où trônaient des milliers de fleurs. Higgins remarqua la reine du cap, aux pétales jaune, orange et rose vif, et les œillets doubles vendus par quarante et capables de survivre trois jours sans eau. Ils orneraient les demeures de l'Europe entière.

Les deux policiers progressèrent lentement sur le carrelage rouge posé sur le sol de l'endroit le plus animé du Vieux Nice, placé sous la double protection de la préfecture et du palais de justice, de style vaguement colonial. Il ne fallut qu'une dizaine de minutes à Higgins pour repérer une jeune femme aux cheveux noirs, qui portait une jupe ample recouverte d'un tablier rouge et un fichu multicolore sur les épaules. C'était elle, sans aucun doute, la plus jolie marchande de fleurs.

L'ex-inspecteur-chef lui acheta une botte d'œillets.

— Pour un cadeau?

— Pour vous.

Elle sourit, amusée. Scott Marlow, gêné, regarda en l'air. Même si l'enquête n'était pas tout à fait officielle, une tentative de séduction d'un témoin n'en constituait pas moins une faute grave. La terre de France suscitait bien des comportements condamnables.

— Nous nous connaissons?

— Je me présente : Higgins, de Scotland Yard.

— Ah! la police...

— Vous n'êtes pas obligée de répondre. Ma démarche auprès de vous n'est qu'officieuse.

— Pourquoi refuserais-je? Je n'ai rien à me reprocher.

Soudain nerveuse, elle cassa la tige d'un œillet.

— C'est bien vous, n'est-ce pas, qui avez découvert le cadavre du duc Andrew de Stonenfeld?

— En effet.

— Aviez-vous déjà croisé cet homme?

— Une fois ou deux.

— Vous avait-il parlé?

— Non.

— Saviez-vous qui il était?

— Non.

Higgins huma le délicat parfum des œillets.

— Des rumeurs circulaient-elles sur son compte?

— Je n'en ai jamais entendu.

— Comme c'est bizarre... A la place que vous occupez, vous devez pourtant recueillir des confidences.

— C'est vrai, mais votre duc ne m'en a accordé aucune. C'était sans doute un individu revêche, qui n'avait pas beaucoup d'amis.

— En tout cas, beaucoup d'ennemis. Vous l'avez constaté vous-même.

— J'ai eu si peur... Je l'ai à peine regardé.

— Ennuyeux... Vous n'avez donc noté aucun indice ?

— Oh ! non ! J'ai couru et j'ai prévenu le premier agent de police que j'ai rencontré.

— Depuis cette sinistre découverte, les langues se sont-elles déliées ?

— Pas du tout. Votre compatriote connaissait si peu de gens... A Nice, on n'apprécie guère ce genre de drame. Ici, nous sommes nés pour le rire et le soleil. Plus vite nous oublierons cet horrible crime, mieux cela vaudra.

Du soleil, il y en avait aussi dans la voix de Ségurane.

— Je suis désolée. Je ne peux pas vous aider.

— Votre seule présence m'encourage à poursuivre mon enquête. Puis-je compter sur votre discrétion ?

— Vous avez ma parole.

Le sourire merveilleux de la jeune femme avait valeur de serment. Les deux policiers la saluèrent, sortirent du marché aux fleurs par la rue Barillerie et s'engagèrent dans les étroites ruelles. Ils passèrent devant la maison du poète niçois Juli Eynaudi, né le 6 mai 1871. Sur la plaque apposée sur la façade, quelques vers chantaient le Pierrot lunaire et la destinée. Comment ne pas songer à l'ode inédite de Harriett J.B. Harrenlittlewoodrof : *Quand la fortune encense la lune, quand la lune brille de son destin nacré, la prière monte des lèvres suppliantes de l'astre solitaire. Pierrot passe comme une ombre et le temps s'émerveille.*

Scott Marlow détestait marcher. A Londres, il ne sortait presque jamais de son bureau où, surchargé par des dossiers administratifs, il passait des nuits studieuses. Cheminer dans cette vieille cité française usait ses chaussures et fatiguait ses mollets. Higgins savait-il au moins où il allait? Aux yeux du superintendant, chaque carrefour se ressemblait. L'ex-inspecteur-chef n'hésitait pas. Il s'arrêta à l'angle de la rue de la Loge et de la rue Droite et leva les yeux. Le bas d'un volet s'entrouvrit et se referma. L'ex-inspecteur-chef attendit que le silence revînt pour s'adresser à son collègue.

— Regardez bien, mon cher Marlow.

Le superintendant s'exécuta.

— Désolé, Higgins. Je ne vois rien.

— Regardez mieux.

— Un pan de mur, un morceau de ferraille qui en sort...

— Exactement. A quoi servait-il?

— A supporter ou à tenir quelque chose...

— Hypothèse remarquable. Ici était exposé le boulet tiré par la flotte turque en 1543 lors du siège de Nice.

— Le boulet... vous voulez dire l'arme du crime?

— L'une des armes.

— C'est une découverte capitale! Il faut la signaler sans délai au commissaire Martini.

— Rien ne presse. Un examen attentif de l'objet aboutira forcément à son identification.

Higgins se garda d'ajouter que les troupes de Soliman, allié de François Ier qui tentait de reprendre Nice aux comtes de Savoie, avaient été repoussées grâce à l'intervention d'une héroïne nommée Catherine Ségurane.

Le volet se souleva de nouveau. Le visage d'une vieille femme, tapie dans l'ombre, observa les deux policiers. Higgins s'adressa à celle-ci :

— Savez-vous qui a volé le boulet?

Le volet se referma. Higgins s'éloigna, entraînant Marlow.

— Un boulet historique, commenta le superintendant, perplexe. Je ne crois pas au hasard. L'assassin est un Niçois, qui connaît à merveille l'histoire de sa ville.

— Ce n'est pas impossible.

— Pourquoi cette réticence?

— Parce que l'assassin cherche peut-être à nous imposer cette idée.

— Avec quelle intention?

— Nous entraîner sur une fausse piste et nous attacher un boulet au pied.

Le superintendant ne partagera pas cette méfiance. L'assassinat du duc avait un aspect rituel qui exigeait la présence d'un certain nombre d'emblèmes, dont le boulet faisait partie. Sans doute étaient-ils destinés à masquer l'essentiel. Mais en quoi consistait-il?

Higgins savourait sa promenade dans le Vieux Nice, comme une friandise. Il régnait un parfum d'Italie, un souvenir d'Orient, qui rendaient l'âme nostalgique.

— Un aristocrate bon teint, riche et respecté. Voilà tout ce que nous savons sur Andrew de Stonenfeld. Un peu court, ne trouvez-vous pas?

— Certes, Higgins. Mais fouiller dans le passé d'un duc est toujours très délicat. N'oubliez pas que sa famille a quelques liens avec la Couronne.

Le rêve le plus secret de Scott Marlow était d'appartenir un jour au corps d'élite chargé de la protection rapprochée de la reine Elisabeth, la femme la plus séduisante du monde. La moindre erreur pouvait lui être fatale. Aussi devait-il prendre soin de ne pas choquer la souveraine par des démarches intempestives.

— Soyez assuré de ma compréhension, mon cher Marlow. Si vous voulez sauver vos criminologues, il nous faut quand même prendre quelques risques. Accepterez-vous une visite discrète au domicile niçois du duc?

CHAPITRE VI

Nice, adossée à des pentes alpines, s'ouvrait sur un cirque formé par les alluvions du Paillon et offert à la mer. La petite rivière aux eaux grisâtres et au lit de galets inégaux, que fréquentaient volontiers les crapauds, avait vu sa rive droite envahie par la ville moderne, aux rues larges bordées de magasins luxueux. Hôtels et immeubles élégants traduisaient la richesse d'une cité qui se félicitait d'avoir tourné le dos à l'Italie, en 1860, pour choisir la France de Napoléon III. Son essor datait de cette époque, où les Anglais, occupants pacifiques, avaient succédé aux Grecs, aux Romains, aux Sardes et aux Savoyards. L'aristocratie britannique, ignorant le Vieux Nice et les quartiers populaires du nord et de l'ouest, s'était installée dans le New Borough, le faubourg de la Croix de Marbre, sur la route de France, puis à Cimiez. C'était là, non loin de la statue de la reine Victoria, dressée en 1912 par Maubert, que le père du duc Andrew avait fait construire une immense villa de trente pièces, au milieu d'un hectare de pelouses entretenues avec le plus grand soin. Cimiez, célèbre en raison de ses arènes romaines, était un paradis où demeures et jardins rivalisaient de beauté.

— Curieux, nota Higgins en sonnant au grand portail.

— Qu'est-ce qui vous étonne?

— La pauvreté de la végétation. Les autres jardins sont remplis de fleurs et de mimosas. Le domaine des Stonenfeld paraît bien nu.

— Une pelouse comme celle-ci se suffit à elle-même.

— Pas à Nice, mon cher Marlow. L'air y est trop doux pour qu'on renonce aux mille couleurs qu'offre la nature.

Une femme d'une cinquantaine d'années, très stricte dans son tailleur gris perle, apparut sur le perron, descendit les marches avec circonspection et marcha vers la grille. Visage régulier non dénué de charme, cheveux tirés en arrière et ramassés en un chignon parfait, buste bien droit, escarpins à boucles : la digne personne affirmait sans crainte ses origines britanniques, sans s'accorder aucune des licences de la mode méditerranéenne.

— A qui ai-je l'honneur, messieurs?

— Inspecteur Higgins et superintendant Marlow.

— Scotland Yard? Ce n'est pas trop tôt. Je suis Victoria Pendleton, secrétaire particulière du duc Heureuse de vous voir.

Elle ouvrit la grille.

— Nous ne sommes pas en mission officielle, précisa aussitôt Scott Marlow.

— L'essentiel est de se retrouver entre compatriotes. Au drame épouvantable que subit cette demeure, s'est ajoutée l'enquête menée par la police française. J'ai été interrogée par un commissaire prétentieux qui parle à peine l'anglais. Comme je refuse de pratiquer l'idiome local, notre entretien a tourné court. Désirez-vous une tasse de thé ?

— Il est un peu tôt, objecta Higgins.

— Le duc buvait de l'excellent porto. Suivez-moi, je vous prie. J'ai renvoyé les domestiques mais je suis encore capable d'accueillir correctement des hôtes.

Scott Marlow fut immédiatement sensible à la très grande distinction de Victoria Pendleton qui, si loin de son pays, témoignait de l'étiquette la plus traditionnelle. C'était à des femmes de ce style que la civilisation devrait de survivre.

Le porto fut à la hauteur du salon victorien, meublé dans le plus pur respect de l'époque et sans aucune fantaisie.

— J'ai toujours fait partie de la famille, révéla Victoria Pendleton. Dès ma sortie du collège, je fus engagée comme secrétaire par le père du duc Andrew.

— Recevait-il un courrier abondant ?

— A dire vrai, il m'a aussi initiée à ses affaires. C'était un homme merveilleux, riche, généreux et distrait. Si je ne m'étais pas occupée de la gestion de ses biens, il aurait couru à la ruine. Lorsque sa femme est morte en couches, après avoir donné naissance au duc Andrew, son père s'est désintéressé de ce monde. Il s'est enfermé dans une sorte de rêve, tout en se reposant entièrement sur moi. J'ai tenté de me montrer digne de sa confiance. Quand il est mort, ce fut une grande tristesse. Le duc Andrew surmonta difficilement son désespoir.

— Et lui aussi vous accorda sa confiance.

— J'ai eu cet honneur.

— M'offrirez-vous le temps nécessaire pour évoquer sa mémoire, si cette démarche ne vous paraît pas prématurée ?

— Parler d'un mort que l'on a chéri ne saurait l'offenser. D'après le *Times*, le duc a été assassiné de la manière la plus horrible. Si je peux vous aider à découvrir le coupable, vous m'en verrez ravie.

— Pardonnez-nous de vous poser des questions qui vous paraîtront indiscrètes, mais la recherche de la vérité oblige parfois à certaine rudesse.

— Je le comprends, inspecteur. Ce que je refuse à la police française, je l'accorde volontiers à Scotland Yard. Quoique nous soyons en territoire étranger, l'assassinat d'un Anglais doit être élucidé par des Anglais. Je ne me suis jamais mêlée à la société indigène. Elle est indécente et illettrée. Je ne sors de cet endroit qu'aux moments où nos compatriotes se promènent. Nous nous reccvons entre nous, à l'heure du thé, et nous repoussons toute invitation qui n'est pas adressée par un sujet de Sa Majesté.

Marlow éprouvait une réelle fierté d'appartenir à la même race que Victoria Pendleton. La décadence naissait de la compromission et du laisser-aller. Grâce à des femmes de cette trempe, une morale ferme et solide continuerait à servir de base à l'humanité. Dans ce décor de meubles austères, de tableaux représentant Victoria, les membres de la cour, Westminster, le château de Balmoral et les landes d'Ecosse, le superintendant se sentait parfaitement à l'aise. Il aurait volontiers élu domicile dans l'immense demeure aux parquets cirés, aux plafonds stuqués et aux colonnes de marbre.

— La fortune du duc était-elle aussi immense que le prétend le *Times* ?

— Le *Times* ne mentirait pas, inspecteur. Le duc et moi-même ne spéculions pas comme ces vils Américains, mais nous maintenions la bonne santé du trésor familial. Notre cher Andrew ne se faisait aucune gloire de cette richesse. Il menait une existence des plus convenables : culture physique, lecture, flânerie sur la Promenade des Anglais, apéritif au *Westminster*, déjeuner avec des personnalités de son rang, équitation, concert, souper intime ou réception.

— Ce splendide programme n'était-il pas entaché de quelque fantaisie occasionnelle ?

— Inspecteur ! Vous n'y pensez pas... Si de tels écarts eurent lieu, je n'en fus pas avertie et n'aurais pas voulu l'être.

— Le duc Andrew n'était pas marié ?

— Ni marié ni fiancé.

— Pas d'aventures ?

— Rien de notable. Le duc aimait voyager, pratiquer les arts et les sports nobles. Il se méfiait.

— De qui?

— De toutes les intrigantes qui en voulaient à son argent. Plus d'une roturière a eu l'audace de lui demander sa main. Le duc eut la sagesse de refuser. A quarante ans, il commençait à posséder cette expérience nécessaire à un bon mari. Il aurait certainement épousé une femme de son rang.

— La honte soit sur moi, déplora Higgins, mais je suis contraint de vous demander...

— Pourquoi je suis célibataire? Parce que le service d'un duc l'exige. Une femme mariée, pis une mère de famille, ne serait pas entièrement disponible. J'ai choisi et ne le regrette pas.

— Un détail m'étonne... pourquoi ce grand jardin est-il dépouillé?

— Les arbres n'y poussent pas. Les mimosas non plus. Après plusieurs essais infructueux, nous avons renoncé. A vrai dire, une pelouse traditionnelle est préférable, même si son entretien, sous un climat aussi rude que celui-ci, coûte une fortune. Dès le printemps, bien qu'elle soit arrosée nuit et jour, elle jaunit.

— Pas de chiens?

— Nos deux setters sont morts il y a deux ans. Le duc Andrew a été si affecté qu'il n'en a pas repris.

— Visiter la maison vous paraîtra une bien grande exigence, mais...

— Pas le moins du monde, inspecteur, mais vous ne verriez qu'un chantier. Cette bâtisse fut mal construite. L'étage supérieur menace ruine et la toiture est en réfection. Le mois dernier, plusieurs murs se sont lézardés. Comment abandonner une maison de famille? Bien que le coût des travaux soit exorbitant, nous étions obligés de les entreprendre. Par bonheur, les placements du duc furent tout à fait judicieux, ces derniers temps. S'il n'était pas un gestionnaire, il faisait preuve de remarquables intuitions dans le domaine financier.

— Son caractère... plutôt triste?

— Convenable : réservé et discret, comme il se doit. Une personne de sa qualité ne peut ni être expansive ni céder à un débordement de quelque nature qu'il soit. Le duc Andrew, grâce à Dieu, a reçu une véritable éducation, celle qui permit à nos généraux d'affronter les Barbares et à nos amiraux de conquérir les mers. A supposer qu'il en eût, il n'était pas homme à montrer ses sentiments.

— Ne vous a-t-il pas semblé un peu plus... gai, ces dernières semaines?

— Ce serait plutôt le contraire. Avec l'âge, il devenait plus sombre, ce qui seyait à son visage et à son allure. Un homme n'a pas à parader, mais doit manifester prestance et dignité.

Scott Marlow remonta son col de chemise et resserra son nœud de cravate. Higgins soutint le regard direct de Victoria Pendleton.

— Le duc avait-il des amis, à Nice?

Pour la première fois, elle hésita à répondre.

— Vous touchez là un sujet bien délicat...

En bon confesseur, Higgins accorda à son interlocutrice le temps de se concentrer. La secrétaire particulière rassembla ses esprits. Son visage lisse et régulier souffrit de la présence d'une ride au milieu du front.

— Je n'avais pas à émettre de jugement sur la conduite du duc Andrew et n'en ai pas émis de son vivant. Considérez-vous que j'en ai le droit, à présent ?

Higgins répondit d'un hochement de tête, imité par Scott Marlow.

— Le duc s'est récemment pris d'amitié pour un Niçois, un certain M. Armani, rencontré lors d'un dîner. Ils se sont revus souvent. Je désapprouvais cette relation.

— Pourquoi donc ?

— Non seulement cet homme est un roturier, mais encore il appartient à une sorte de secte, dont le lieu de culte est une petite église, près du marché aux fleurs.

— Les pénitents noirs, précisa Higgins.

Victoria Pendleton, prise au dépourvu, ouvrit des yeux étonnés.

— Vous les connaissez ?

— Il s'agit d'une très ancienne association religieuse et charitable.

— La charité, indiqua-t-elle avec agressivité, c'est surtout le duc qui la pratiquait. M. Armani ne cessait de lui demander de grosses sommes pour l'entretien de l'église et l'assistance aux pauvres.

Une succession de bruits épouvantables interrompit la secrétaire particulière. D'abord, la grille ouverte avec violence ; puis une portière qui claque ; ensuite, un vrombissement de moteur poussé au maximum; enfin, une voiture roulant à vive allure dans l'allée et freinant brutalement devant le perron.

Victoria Pendleton, Higgins et Scott Marlow se dirigèrent vers les fenêtres du grand salon, d'où ils virent une femme brune descendre d'une voiture de sport.

CHAPITRE VII

Victoria Pendleton et la femme brune se trouvèrent face à face sur le seuil du grand salon.

— Sortez immédiatement, exigea la secrétaire particulière, en proie à une fureur à peine contenue.

— Je suis ici chez moi et ce n'est pas une greluche de votre genre qui m'empêchera de m'y installer.

— L'insulte convient aux dévoyées de votre genre.

— Reculez ou je vous gifle!

Scott Marlow jugea bon d'intervenir pour protéger Victoria, pendant que Higgins, qui observait la scène du coin de l'œil, prenait des notes sur son carnet noir afin de ne rien perdre des importants renseignements fournis par l'Anglaise au tailleur gris.

— Qui êtes-vous? interrogea le superintendant, sévère.

— Angela Paladi, duchesse de Stonenfeld.

— C'est une imposture, déclara Victoria Pendleton, qui tourna le dos à l'arrivante. D'une part, vous avez quitté le domicile conjugal et consommé le divorce ; d'autre part, vous avez célébré un faux mariage à la va-vite dans je ne sais quelle province d'Italie. Aucune autorité anglaise n'en reconnaîtra la validité.

La belle femme brune, grande et élancée, éclata de rire.

— Ça vous ennuie, mais je suis quand même le femme de mon mari !

— Pouvez-vous le prouver ? demander Marlow.

Angela Paladi lui jeta un regard dédaigneux. Puis, avec un geste aussi rapide que violent, elle déversa à ses pieds le contenu de son sac à main.

— Fouillez là-dedans ! Vous y trouverez mes papicrs d'identité et mon certificat de mariage. J'espère que ça vous suffira.

Pendant que Scott Marlow, rougissant de confusion, s'acquittait de cette tâche ingrate, Higgins s'approcha de l'Italienne en colère. Vêtue d'un pull noir ras-du-cou et d'un pantalon blanc, elle ne manquait pas d'allure. A son poignet gauche, un énorme bracelet en or. Les cheveux mi-longs, très abondants, soulignaient la perfection d'un visage ovale au nez aquilin et aux lèvres charnues.

— Nous appartenons à Scotland Yard, révéla Higgins.

— Il n'y a donc pas de Français dans ce salon. Tant mieux. Leur police s'est montrée particulièrement désagréable avec moi, hier soir, à Monte-Carlo. Je jouais tranquillement au casino quand ils m'ont interpellée. Moi, invectivée par des soudards ! Vous vous rendez compte ?

Angela Paladi parlait fort en faisant de grands gestes. Scott Marlow lui rendit le sac à main, qu'elle lui arracha.

— La mort de votre mari ne semble guère vous émouvoir.

— C'est ce qu'ils m'ont reproché aussi... on peut souffrir sans verser des torrents de larmes, non ? Et me voici obligée de résider à Nice jusqu'à la fin de l'enquête ! Moi, une femme libre !

L'Italienne s'affala dans un fauteuil.

— Donnez-moi quelque chose à boire, Victoria.

— Il n'en est pas question, répondit l'Anglaise, pincée. Je ne suis pas à votre service. Au lieu de vous soûler, vous feriez mieux de restituer les deux primitifs flamands que vous avez volés dans la bibliothèque.

— Comment volerais-je ce qui m'appartient ?

— La police en jugera autrement.

S'extrayant du fauteuil comme une furie, Angela Paladi courut jusqu'à sa voiture et, quelques secondes plus tard, jeta un paquet dans les bras de la secrétaire particulière.

— Les voilà, vos tableaux ! Accrochez les où bon vous semble ! Et méfiez-vous, ma petite Victoria... je ne serai pas seule à devoir rendre des comptes !

Victoria Pendleton haussa les épaules et sortit dignement du salon.

— Mes félicitations pour votre Bugatti 55, dit Higgins à l'épouse du duc.

Les yeux de l'Italienne s'illuminèrent.

— Vous vous y connaissez, en mécanique?

— Fort peu, Mais comment ne pas apprécier ce modèle rare dont le dessin est dû à Jean Bugatti, le fils du grand Ettore? Sa mort tragique, lors des essais d'une voiture de course, a privé le monde d'un artiste.

— Alors, venez l'essayer!

Quelques minutes plus tard, Angela Paladi et Higgins roulaient à vive allure en direction de Nice. Il n'y avait pas de place, dans la superbe voiture aux lignes élancées, pour le superintendant. Il rejoindrait plus tard l'ex-inspecteur-chef à son hôtel. Victime du devoir, Higgins ne reculait pas devant le danger afin d'entrer dans les bonnes grâces de l'Italienne.

— L'air est glacé en cette saison, déplora-t-elle, mais rouler à moins de cent quarante abîme le moteur.

— Que comptiez-vous faire de ces tableaux?

— Les revendre, évidemment. Le casino m'en a proposé une somme dérisoire. Les primitifs flamands n'intéressent personne, dans la région. Hélas! Andrew ignorait tout de l'art italien.

— Jouez-vous beaucoup?

— C'était la première fois. Mais j'ai tellement de factures à payer! Avec ce dragon de Victoria, impossible d'obtenir un sou avant que le problème de l'héritage soit réglé. Ce maudit héritage...

Angela Paladi demeura muette jusqu'au moment où Higgins lui offrit le champagne à la terrasse du

Savoy, fréquentée par de nombreux Anglais. Après avoir hésité entre un veuve-clicquot et un dom-pérignon, il opta pour ce dernier à cause de sa tonalité d'églantine et de miel, qui répandrait en bouche une fraîcheur aux subtils dégradés. L'Italienne vida cul-sec un premier verre, avant de déguster le second de manière plus raisonnable.

— J'étais seulement séparée d'Andrew. Le divorce n'a pas encore été prononcé. Nous deux, c'était pourtant une belle histoire... Nous nous sommes adorés au moins quinze jours. Avec son pessimisme et ses idées noires, Andrew m'a vite épuisée. J'ai besoin de vivre et de bouger, moi ! En plus, il n'a pas réussi à me faire un enfant, alors que je rêve d'allaiter et de langer... Une sorte de désastre. Un Waterloo, comme on dit chez vous.

— Comme on dit en France, rectifia Higgins.

— Ah ! oui, c'est vrai... j'oubliais que vous êtes anglais. Andrew était un brave garçon, mais jamais content de rien. Trop délicat, trop raffiné... Un exemple : le cheval. Il était bon cavalier mais refusait de se mettre à poil.

— Vous voulez dire qu'il n'acceptait pas de monter sans selle ?

— Je ne parle pas bien le français ?

— Admirablement, avec un goût certain pour des expressions archaïques qui ont quelque peu évolué. Mais c'est tout à fait charmant.

La brune passionnée se détendit. Aux côtés de cet inspecteur du Yard, elle se sentait bien, au point d'oublier sa coupable industrie. Il possédait le don de mettre en confiance et de susciter la confidence sans torturer l'âme. Voilà bien longtemps qu'Angela Paladi n'avait goûté un aussi bon champagne, en aussi plaisante compagnie.

— Andrew ne percevait pas mes sentiments profonds... J'ai besoin d'un être chaleureux, un peu fou, capable de marcher des heures dans la montagne ou de plonger nu dans la mer. Tout le contraire d'un duc anglais, prisonnier de ses coutumes et de ses vêtements. Vous me comprenez, vous ?

— Je m'y efforce. Cet héritage... vous en avez le plus grand besoin?

La bouteille de dom-pérignon expira dans le verre de l'Italienne.

— Sans lui, je suis à la rue.

— Que dit le testament?

— C'est bien le problème. Le testament a disparu.

— Votre mari en avait-il rédigé un?

— Il y a un mois, dans sa villa. Je n'ai pas osé lui en demander la teneur. Il l'a lui-même cacheté à la cire et m'a annoncé qu'il le porterait à son notaire. Or, ce dernier ne l'a jamais reçu. Andrew était tellement excentrique... Le pire est à craindre!

— Vous vous trouviez donc à Nice, au moment de cette rédaction. Etrange hasard...

— Pas du tout! Depuis notre séparation, j'habite à Monte-Carlo, dans un appartement loué par Andrew. J'étais revenue pour lui demander de l'argent. On ne porte du vison qu'un petit mois, sur la côte, mais son prix ne cesse d'augmenter. Mon mari a cédé à ma demande mais, très irrité, a décidé de rédiger sur-le-champ un testament.

— Une mascarade?

— Ce n'était pas son style.

— Vous pouviez donc redouter que ses dispositions ne vous fussent guère favorables.

— En effet. Mais qui peut bien détenir ce maudit document? J'avoue avoir fouillé toute la maison! Ce doit être Victoria... Non, elle a trop de morale. Pourvu qu'il ne s'agisse pas d'une bonne œuvre.

Angela Paladi se plongea dans la contemplation des petites bulles qui montaient le long des parois de sa flûte et venaient mourir à la surface blonde du champagne.

— Si quelqu'un d'autre a mis le grappin sur la fortune de mon mari, je le trouverai et le tuerai.

CHAPITRE VIII

Accompagné d'un Scott Marlow bougon qui avait mal dormi, Higgins entra dans la chapelle de la Miséricorde, dont l'entrée s'ouvrait sur le cours Saleya. A cette heure matinale, la rue Saint-François-de-Paule, le cours Saleya et le marché aux fleurs étaient encore très calmes. Peu de badauds traversaient la place de la Préfecture, ancien palais du roi et du gouverneur. Erigée en 1736, la chapelle appartenait depuis cette date à la confrérie des pénitents noirs. Son vaisseau elliptique était entouré de six chapelles en hémicycle, où figuraient tableaux et décors baroques. Dans la sacristie, Higgins s'attarda devant une Vierge de miséricorde couronnée par deux anges. La mère du Christ, au doux visage et au léger sourire, portait sur le bras droit l'enfant divin. A ses pieds, protégée par sa grande cape, l'humanité rassemblée.

Scott Marlow sursauta. Un homme, vêtu d'une robe noire et coiffé d'une cagoule pointue de même couleur, venait de lui poser la main sur l'épaule.

— Que cherchez-vous, mon fils ?

— Ce tableau est remarquable, répondit Higgins.

— C'est un chef-d'œuvre, estima le pénitent noir. Il est signé de Louis Bréa, le plus grand peintre niçois, dont l'art est digne de Fra Angelico et de Giotto.

— Une signature insolite.

— Que voulez-vous dire ?

— Lisez avec moi l'inscription : « Peint par Bréa en 1565 ».

— Vous voyez bien !

— Malheureusement, il est mort vers 1525.

Une forte odeur de suif et d'encens se répandit dans la chapelle. Plusieurs pénitents, les confrères de la bonne mort, s'agenouillèrent pour prier la Vierge. Profitant de la détresse de son interlocuteur, Higgins le soumit à la question qu'il était venu poser.

— Vous devez bien connaître M. Armani ?

— Bien entendu... le pénitent Marc-Antoine est notre chef.

— J'aimerais le rencontrer.

— Aujourd'hui, vous avez une chance de le trouver à son domicile du Vieux Nice, rue de la Poissonnerie.

Au moment où les deux policiers sortaient de la chapelle, le pénitent les rattrapa.

— Soyez charitables, messieurs... ne parlez pas de cette inscription.

Sur la façade de la vieille demeure, un étrange

bas-relief datant de la fin du Moyen Age et restauré au début du siècle : deux personnages demi-nus s'affrontaient à coups de massue. Higgins espéra que cette scène ne présageait pas l'atmosphère de l'entretien avec Marc-Antoine Armani. A la vue de ce dernier, ses craintes se dissipèrent. Le chef des pénitents noirs était un homme d'une soixantaine d'années, bedonnant et jovial.

— Heureux de vous accueillir, messieurs. Que puis-je vous?

Scott Marlow toussota. Cette simple indication suffisait à préciser le caractère confidentiel que devaient revêtir les propos échangés.

— Nous sommes de Scotland Yard.

Marc-Antoine Armani sourit à pleines dents.

— Mon Dieu ! Que me vaut l'honneur de cette délégation officielle ?

— Officieuse, rectifia le superintendant.

— L'assassinat du duc Andrew de Stonenfeld.

— Ah ! cet horrible drame... Entrez donc.

Les policiers suivirent leur hôte, qui grimpa un escalier plutôt raide et les introduisit dans une pièce sombre et haute de plafond. Y étaient entreposés des robes noires, des cagoules, des chapelets et des bougies. Le chef de la confrérie en alluma une.

— Je n'habite pas ici. Cette demeure nous sert de lieu de réunion. Il ne reste plus beaucoup de pénitents, aujourd'hui. Autrefois, les noirs, les blancs, les rouges et les bleus se livraient une lutte fraternelle pour soulager la misère humaine. Nous recueillions des orphelins, enterrions les morts indigents, organisions des pèlerinages. La société moderne a inventé d'autres institutions mais nous perpétuons la tradition tant bien que mal.

— Avec de graves difficultés financières, n'est-il pas vrai ?

— Grave est un terme excessif. Il existe encore des âmes généreuses. Je suis sûr que vous-même ne serez pas insensible à l'appel de la Vierge de miséricorde.

Marc-Antoine se tourna vers le superintendant, qui se sentit obligé de sortir son portefeuille et d'en extraire un billet d'une livre.

— Le feu duc appartenait-il à votre confrérie ? demanda Higgins.

— Vous me gênez beaucoup... Notre règlement intérieur nous interdit de dévoiler l'identité de nos membres. Notre vocation est de faire le bien sans en tirer avantage ou gloriole. C'est pourquoi, lors de nos cérémonies et de nos processions, nous portons une cagoule.

— Belle attitude, apprécia l'ex-inspecteur-chef, mais il y a eu meurtre. Si la police française ne vous a pas encore interrogé, elle ne tardera pas à pratiquer cet art délicat.

— Asseyez-vous, inspecteur.

Marlow choisit un tabouret, Armani une chaise-paillée. Higgins resta debout et fit les cent pas. Il examina quelques cagoules, souleva des robes et palpa un chapelet.

— Le duc Andrew de Stonenfeld était un sympathisant. Lors d'un dîner, j'ai eu l'occasion de lui exposer les buts poursuivis par les pénitents noirs. J'ai su toucher son cœur. Il m'a remis un premier chèque, dûment enregistré dans notre comptabilité.

— Et depuis, ses dons n'ont pas cessé.

— C'est exact. Serait-ce illégal ?

— Le duc a-t-il rédigé un testament en votre faveur ?

Le visage de Marc-Antoine Armani se transforma. Ses yeux se rétrécirent et perdirent toute jovialité.

— Je déteste ce genre de provocation. Andrew de Stonenfeld était un être sensible et fragile. Il croyait à l'efficacité de la charité. Qui le lui reprocherait ? Si vous imaginez que je tentais de le circonvenir pour mon propre compte, vous vous trompez lourdement. Je n'ai pas besoin d'argent.

— Quelle est votre profession, M. Armani ?

— Je suis propriétaire terrien. Plusieurs hectares dans la campagne niçoise.

— Des fleurs ?

— Oui.

— Des œillets ?

— Bien sûr. A Nice, comment en irait-il autrement ? Sans me vanter, j'ai la chance d'habiter l'une des plus belles villas de la région et d'avoir amassé une jolie fortune. Ce bonheur, c'est au Seigneur que je le dois. A ses bienfaits, je dois répondre par des bienfaits.

— Le duc ne vous a vraiment pas remis un testament en votre faveur ? insista Scott Marlow.

Marc-Antoine Armani se leva, furibond.

— Je ne supporterai pas plus longtemps ce genre d'insinuation.

Les poings serrés, il se campa face au super-intendant.

— La pratique de la charité n'exclut pas celle de la justice immanente. J'ai bien envie de vous mettre la tête au carré.

Higgins s'interposa et intervint d'une voix tranquille.

— Votre sincérité vous disculpe, M. Armani. Acceptez nos excuses.

Le chef des pénitents noirs, un instant hésitant, leva la main et frappa amicalement l'épaule de Marlow.

— Le Niçois n'est pas rancunier. Prompt à réagir, il oublie vite. Il est plutôt colérique et impatient, mais sans méchanceté. Admettons que je n'aie rien entendu et que je préfère en rire.

Marc-Antoine Armani alla se rasseoir.

— Je déplore la mort du duc. Pour notre confrérie, c'est une très grande perte. Il avait compris la grandeur et le sens de notre combat pacifique.

— Vous avait-il fait des confidences?

— Nous ne parlions que du Seigneur, de la miséricorde de la Vierge et de la détresse de nos frères humains.

Le pénitent baissa la tête. Marlow et Higgins se dirigèrent vers la porte.

— Il y a quand même un Niçois rancunier, un certain Pierre Michelotti, qui joue le rôle d'abbé des fous lors du carnaval. Ça m'ennuie de vous confier ce petit secret, mais vous l'auriez vite su... Michelotti n'aimait pas le duc. Sans doute vous en apprendra-t-il long sur sa mort.

Scott Marlow sortit le premier. Marc-Antoine Armani agrippa Higgins par l'avant-bras.

— Soyez prudent, inspecteur. Michelotti n'est pas un tendre. Et retenez un mot : *mocoletto*.

CHAPITRE IX

Higgins et Marlow passèrent devant d'appétissants étals, où l'on vendait l'estocaficada, la morue séchée à la niçoise, et de la porchetta rôtie — un cochon de lait farci. L'ex-inspecteur-chef ne résista pas à la socca, une pâte de farine de pois chiches cuite au four et poivrée. Elle se dégustait sur le pouce, en lamelles très chaudes.

— Enfin, Higgins! Nous sommes sur la piste d'un dangereux criminel et vous perdez du temps à manger cette chose!

— C'est une délicieuse spécialité locale. Vous devriez y goûter.

Le superintendant déclina l'offre. Il ne désirait pas être victime de nourritures inconnues dont il avait appris à se méfier. Higgins ne se pressa pas. Les mets méridionaux devaient être dégustés sans hâte. Après s'être nettoyé les doigts avec un linge parfumé que lui offrit la marchande de socca, il reprit sa marche en avant dans les ruelles du Vieux Nice.

— Armani a-t-il bien parlé d'un abbé des fous? demanda Scott Marlow.

— C'est un vieux titre tombé en désuétude.

— En quoi consiste son office?

— Pendant le carnaval, il est chargé de surveiller les bals où les participants sont masqués. Son rôle consiste à empêcher les fauteurs de troubles de perturber les festivités. A lui de faire régner la paix et l'amour, même en utilisant la manière forte.

— C'est-à-dire?

— L'abbé des fous ne doit pas être un gringalet. Il lui arrive d'affronter des jeunes gens armés et éméchés. Certains manient facilement le couteau. A l'abbé de les calmer et de continuer à animer la fête.

Les deux hommes empruntèrent la sombre et étroite rue Saint-Gaétan, puis s'engagèrent dans la rue Barillerie, aux maisons non alignées, qui semblaient tomber les unes vers les autres. Du linge pendait aux fenêtres, des grilles protégeaient les ouvertures des rez-de-chaussée. A l'extrémité de cette voie aux allures mystérieuses, la vision réjouissante de la cascade, au sommet de la falaise du château. Des dizaines de pigeons sommeillaient sur le rebord des fenêtres.

Higgins frappa à une petite porte en bois vert sur laquelle était apposée une plaque portant le nom de Michelotti. Après une longue attente, un judas s'ouvrit.

— Qui est là?

— Scotland Yard.

— Connais pas.

— Vous risquez d'être accusé du meurtre du duc Andrew de Stonenfeld.

Le judas se referma sèchement. Dix secondes plus tard, la porte s'ouvrit. Apparut un homme trapu, au front bas et aux larges épaules, dont le visage ingrat s'ornait d'une abondante moustache noire.

— Vous êtes bien l'abbé des fous?

— Aux heures du carnaval. Maintenant, je suis chômeur. Auparavant, j'occupais un poste au conseil municipal. Armani m'en a expulsé. C'est lui qui vous a donné mon adresse, j'en suis sûr. Parfait. Alors, moi aussi, je vais parler. Entrez.

Le domaine de Michelotti était un curieux mélange d'ombre et de lumière. Une multitude de bougies minces et longues éclairaient une pièce aux murs noircis et aux poutres apparentes. De part et d'autre d'une table rustique, des bancs de bois très usés. On avait l'impression d'entrer dans une taverne du Moyen Age désertée par ses clients.

Higgins soupesa l'une des bougies.

— Comment se nomme-t-elle?

— *Mocoletto*.

— Elle apparaît bien au carnaval?

— Je teste ici chaque *mocoletto* avant de le mettre en circulation. Avoir en main un *mocoletto*, ce n'est pas rien. Il incarne notre destin. A aucun prix il ne doit s'éteindre.

Scott Marlow toussota. Cette fois, il manquait d'air. Il avait l'impression de découvrir l'antre du diable et souhaitait y séjourner le moins longtemps possible.

— Vous voulez boire du vin frais? J'ai ici un falicon d'excellente tenue.

Sans attendre de réponse, l'abbé des fous ouvrit une trappe, sortit la bouteille de la cache et remplit trois verres.

— Pourquoi Armani vous déteste-t-il au point de faire peser sur vous d'aussi lourds soupçons?

— Nous nous haïssons depuis l'enfance. Il aurait aimé mettre la main sur le carnaval et a dû se contenter de la confrérie des pénitents noirs. C'est moi qui l'ai empêché de réaliser son vœu, car il aurait dénaturé notre belle fête avec ses bigoteries. Ce pauvre Marc-Antoine est confit en bondieuseries... mais ça ne l'empêche pas d'être un noceur et un bon vivant. Il y a deux individus en lui : le religieux et le débauché. Il trace sans cesse le signe de croix pour se faire pardonner ses fautes, mais il les commet quand même. Je ne connais personne de plus cruel en affaires. Combien de petits propriétaires a-t-il ruinés pour devenir un gros producteur d'œillets? Bien oubliée, la charité... Une sorte de Dr Jekyll et M. Hyde.

Higgins apprécia le vin. Marlow, qui accepta un second verre, s'habituait à l'endroit.

— Quelle faute avez-vous commise, M. Michelotti?

— Une broutille. Elle a suffit à Armani pour m'évincer.

— Soyez plus explicite.

— Une histoire stupide, je vous assure... Ça s'est passé au dernier carnaval. J'avais été reconduit dans mes fonctions d'abbé des fous et je tenais à ce que les festivités ne fussent marquées d'aucun incident. Dans la journée, aucun risque La nuit, là où l'on danse, c'est différent. Les participants sont heureux de vivre. Parfois, ils boivent un peu trop. Mon rôle consiste à les expulser sans trop de casse s'ils font du tapage. Cette fois-là, le duc appartenait au clan des excités.

— Cela signifie-t-il qu'il était... ivre? demanda Scott Marlow, étonné.

— Complètement noir.

— Un duc de Stonenfeld! Incroyable.

— Il était tellement soûl qu'il avait même oublié de porter un masque.

— Vous l'avez donc reconnu?

— Mais non, je ne l'avais jamais vu. J'ignorais qu'il s'agissait d'un personnage important, qui versait des sommes considérables à l'association qui prépare le carnaval et aux pénitent noirs. Je l'ai pris par le bras et conduit dans une ruelle obscure, où il s'est endormi, le dos calé contre un mur. Quand on l'a retrouvé, cuvant son vin, ce fut le scandale. Armani fut aussitôt prévenu et il ne s'est pas fait prier pour exploiter la situation. Il a obtenu sans peine mon exclusion du conseil municipal et m'a fait perdre mon titre d'abbé des fous.

— Avez-vous agressé le duc?

— Je n'ai pas eu besoin de recourir à la violence Le malheureux avait abusé de la dive bouteille au point de devenir doux comme un agneau.

Higgins examina à nouveau un *mocoletto*, tira sur la mèche, gratta la bougie comme si elle cachait quelque secret inavouable.

— Il y a un détail qui m'intrigue... M. Armani affirme que vous pourriez nous en apprendre long sur la mort du duc. Vous auriez donc une idée précise sur le mobile du crime ?

— Moi ? Certainement pas ! Si j'avais su, je l'aurais laissé se démener au bal et j'aurais conservé mes fonctions. A force d'être consciencieux, on perd tout. Armani est un sale type. Il n'est pas étranger à la disparition de votre duc.

Higgins laissa planer un silence lourd de sous-entendus. L'ancien abbé des fous avala sa salive.

— Vous allez croire que je me venge mais ce n'est pas vrai... Le duc était un être fragile, hypersensible, que le patron des pénitents noirs a su manipuler à sa guise.

— Détournement de fonds à usage personnel ?

— Peu probable. C'est un croyant sincère. Il a réussi à culpabiliser le duc et le persuader de verser la majeure partie de sa fortune à la confrérie. Sans doute ce dernier s'est-il rebellé et a-t-il refusé de s'appauvrir... On imagine les conséquences.

Scott Marlow se révolta.

— A Scotland Yard, monsieur, on n'imagine pas. On prouve. Nous vérifierons.

Après avoir vidé son verre, le superintendant se dirigea vers la porte.

— Puis-je emporter un *mocoletto* ? demanda Higgins.

— Je n'y tiens pas. Ce serait contraire aux usages. Une chose, encore, inspecteur...

Pierre Michelotti parut se tasser sur lui-même.

— Quand il y a un drame, à Nice, on consulte Bertin Boyer. C'est un homme qui a des yeux et des oreilles partout. Si Marc-Antoine est allé un peu trop loin, il le saura et vous mettra sur la piste.

— Où le trouverons-nous ?

— Sur le port. Son bateau s'appelle *Luna*. Ins pecteur...

— Oui, M. Michelotti ?

— Vengez-moi.

CHAPITRE X

Dès qu'il eut terminé la lecture du journal français, accordant un large écho au premier grand congrès médical des spécialistes de la nutrition, Higgins se fit monter un champagne Deutz rosé pour bien commencer la journée. Les plus grandes sommités médicales françaises, notamment des doyens de faculté, avaient stigmatisé le caractère suspect de l'eau minérale, un médicament dont il ne fallait pas abuser. De toute évidence, le vin pouvait être défini comme un aliment naturel. Un travailleur manuel se maintenait en excellente santé en buvant un litre par jour, un intellectuel un demi-litre. Dans quelle catégorie se classait un inspecteur du Yard, obligé d'arpenter les ruelles du Vieux Nice tout en déployant une intense activité cérébrale ? Que le congrès eût lieu à Saint-Emilion n'entachait en rien sa qualité scientifique, et l'interrogation majeure, qui nécessiterait des études approfondies : les doses pouvaient-elles être augmentées afin de consolider le bon état physique et psychique de la population ?

Un appel téléphonique intérieur prévint Higgins qu'une dame excitée désirait le voir sur-le-champ. Il donna son accord, resserra les pans de sa veste d'intérieur et versa du champagne dans deux flûtes. Quand Angela Paladi fit irruption dans sa chambre, il était prêt à l'affronter.

— J'ai besoin de votre protection, inspecteur ! Je suis victime d'une horrible erreur judiciaire !

Jupe rouge vif, corsage blanc à jabot, cheveux fous parfumés au jasmin, la belle Italienne semblait en proie à une intense émotion.

— Asseyez-vous et buvez un peu de ce nectar. La faculté le recommande.

Angela Paladi s'exécuta.

— Quelle abomination... on m'accuse d'avoir joué au casino de Monte-Carlo de l'argent volé à mon mari ! Le commissaire Martini a recueilli une déposition de Victoria, qui affirme m'avoir vue dérober plusieurs liasses de billets dans l'armoire où le duc rangeait ses papiers personnels, puis prendre la fuite dans ma Bugatti. Quel scandale !

Higgins la regarda avec un bon sourire.

— Et... c'est vrai ?

L'expression tragique imprimée sur le visage d'Angela Paladi s'estompa. Ses yeux devinrent moqueurs.

— Oui... c'est vrai !

Un éclat de rire fruité comme un vin de Toscane succéda à cet aveu.

— Puisque le divorce n'est pas prononcé, vous ne pouvez être considérée comme une voleuse ordinaire.

— Détournement d'héritage, accuse cette vipère de Victoria, qui refuse de laver mes draps et de préparer un petit déjeuner. Si elle croit m'intimider par des manœuvres aussi méprisables... Quant à Martini, j'en fais mon affaire. Il redoute mes relations avec les journalistes niçois. Il a raison. Je suis capable de leur raconter n'importe quoi et de plonger la police dans le plus grand embarras. Si près de la retraite, Martini ne veut pas de vagues. Ce sera mon silence contre le sien.

La passionnée se révélait bonne tacticienne. Higgins nota le fait au passage.

— Quelle est la véritable raison de votre visite aussi aimable que matinale ?

— On m'a volé deux robes.

— En êtes-vous certaine ?

— Si vous les aviez vues, vous ne pourriez pas les oublier. C'étaient les plus spectaculaires de ma collection. L'une est violette, jaune et noire, avec un décolleté dorsal qui plonge jusqu'à la naissance des reins, l'autre est en mousseline verte, avec des points orange et une échancrure en dentelle rouge qui découvre le haut des seins. Rien de provocant, mais une élégance qui se remarque.

— Je n'en doute pas.

— En réfléchissant, je crois qu'on m'a volé d'autres robes, plus classiques. Comme je ne les portais qu'une seule fois, je ne m'en apercevais pas. C'est en cherchant vainement un trésor caché que j'ai constaté ce larcin.

— Le duc recevait-il des femmes ?

— Victoria ne l'aurait pas permis.

— L'avez-vous interrogée ?

— Elle m'accuse d'avoir dérobé moi-même les vêtements pour détourner l'attention des enquêteurs.

— Qui soupçonnez-vous ?

— Aucune idée.

— La seule femme de ce palais niçois est Miss Victoria Pendleton.

— Elle, porter ces robes-là ? Vous plaisantez, inspecteur !

— La nature humaine est parfois extravagante.

— Vous connaissez mal la secrétaire particulière de mon défunt mari. L'extravagance lui est aussi inconnue que la neige à une autruche. Elle appartient à une lignée de nobles campagnards désargentés, mais très à cheval sur la coutume, le respect de l'autorité et la morale de la vieille Angleterre. Jamais d'écarts, jamais de fantaisie. Je dois reconnaître qu'elle est une remarquable gestionnaire. Sans avoir fait d'études, elle en remontrerait à plus d'un financier. Elle ne cesse de lire des revues économiques et de suivre l'évolution des cours de la Bourse. Comme Andrew avait un flair remarquable pour les placements, ils formaient une excellente équipe. Loyale, travailleuse, compétente, irremplaçable... cette chère Victoria a simplement oublié d'être une femme !

— Peut-être possède-t-elle un jardin secret.

— Vous la voyez dans une de mes robes, en train de s'exhiber devant des mâles lubriques et prête à faire des folies de son corps ?

— J'ai connu des situations plus rocambolesques.

— Si Victoria est une dévergondée, je m'engage à devenir bonne sœur!

— Dont acte.

Elle sourit, avec le charme pulpeux, à la fois tendre et vénéneux, dont seules les Italiennes sont gratifiées.

— J'aimerais beaucoup que vous retrouviez ces deux robes. Elles m'allaient à ravir. Je les mettrai pour vous, rien que pour vous...

Higgins se leva et raccompagna Angela Paladi.

— C'est une faveur à laquelle je suis très sensible. Ne perdez pas de temps pour résoudre votre petit différend avec le commissaire Martini. Il me paraît assez susceptible et plutôt tatillon.

— Vous vous y prenez mal, mon cher Marlow.

— C'est beaucoup trop épais! Impossible de mâcher.

— Le pan bagna, souligna Higgins, n'est pas un sandwich anémié. Celui-ci est un modèle du genre : tomates, poivrons, oignons, olives et anchois sont harmonieusement mêlés et répartis. En une bouchée, mastiquée en toute quiétude, vous jouissez d'un banquet provençal.

Pendant que le superintendant tentait de soumettre le pan bagna à sa volonté en l'écrasant entre ses doigts, l'ex-inspecteur-chef observait Ségurane. La jolie marchande attirait sans cesse de nouveaux clients. Ils regardaient moins les œillets que les lèvres admirablement dessinées et le corsage blanc où frémissait une vie juvénile et fascinante.

Les deux policiers se promenaient sur le marché aux fleurs et alentour depuis plus d'une heure. Midi ayant sonné au clocher de Sainte-Réparate, Higgins avait offert à son collègue un rapide moyen de se sustenter.

— Qu'attendons-nous? demanda Marlow.

— Nous nous familiarisons avec les lieux du crime.

Le superintendant avala de travers un morceau de pan bagna. Il fut en proie à une quinte de toux qui attira l'attention des badauds. Un marchand de palmiers lui offrit un verre d'eau. Puis le cours Saleya revint à son activité normale où s'échangeaient force palabres.

— Vous voulez dire... que le duc Andrew a été assassiné ici, parmi toutes ces fleurs?

— Je l'ignore. Ce n'est encore qu'une impression. Il nous faut percevoir l'âme de Nice, percer ses secrets pour comprendre pourquoi un noble britannique est venu finir ses jours dans un coin reculé de la vieille ville.

Déçu, Scott Marlow réattaqua son déjeuner. Il avait espéré d'autres révélations.

— Avez-vous le pied marin, superintendant?

— Je déteste les bateaux. Tous mes ancêtres ont servi dans l'infanterie. Cela ne m'empêche pas d'éprouver une grande admiration pour l'amiral

Nelson et les héros qui sont partis à la conquête des mers afin de proclamer la grandeur de l'Angleterre.

— Notre tâche s'annonce plus modeste. Mais je vais quand même vous faire rencontrer une sorte d'amiral.

CHAPITRE XI

Le bateau *Luna* sommeillait paisiblement dans la partie la plus ancienne du port de Nice. Son propriétaire, Bertin Boyer, l'imitait. Vêtu d'un maillot rayé et d'un pantalon de toile, il faisait la sieste au soleil. La cinquantaine largement dépassée, le marin avait appris à jouir de l'existence comme d'un fruit mûr. Si le travail pouvait toujours attendre, il n'en était pas de même du repos. Or, un homme fatigué ne pensait pas correctement. Et Bertin Boyer, qui formait à lui seul une centrale de renseignements où s'accumulaient les potins de la société niçoise, avait besoin de penser le plus correctement possible pour trier le bon grain de l'ivraie. Aussi s'obligeait-il à prendre un maximum de repos.

De ses yeux mi-clos, il repéra les deux étrangers dès qu'ils apparurent à l'extrémité de la jetée. Le petit orteil de son pied gauche le démangea. C'était le signal infaillible qui annonçait l'arrivée imminente d'une cohorte d'ennuis. Les deux types venaient-ils lui réclamer de l'argent qu'il aurait oublié de rembourser, ou lui proposer l'une de ces affaires bien véreuses que le plus honnête des citoyens est parfois obligé d'accepter pour arrondir ses fins de mois? Non, c'était autre chose.

Beaucoup plus inquiétant.

La police. Et, pis encore, une police qu'il ne fréquentait pas.

— M. Boyer?

— Lui-même.

— Pouvons-nous discuter?

— De la part de qui?

— Scotland Yard.

Le petit orteil ne l'avait pas trompé.

— Il y a des Français, là-dedans?

Choqué, Scott Marlow nia toute ingérence étrangère dans la police de Sa Majesté.

— Bon. Alors, montez sur le pont. Faites attention, ça glisse.

Pendant que Higgins guidait Scott Marlow, Bertin Boyer disposa trois sièges pliants. L'intensité du soleil était telle que l'ex-inspecteur-chef regretta de n'avoir pas emporté son casque colonial. Le superintendant s'épongea le front. Habitué aux pluies quasi quotidiennes de la capitale britannique, il ne songeait pas à ôter son imperméable.

— Je garde ici un petit cru de Gaude, réservé pour les grandes occasions. Ce n'est pas tous les jours que les bobbies rendent visite à un pauvre patron pêcheur.

— Nous ne sommes pas des bobbies, corrigea Marlow, ulcéré, mais superintendant et inspecteur.

— Vous savez, nous, les méridionaux, on n'est pas figés sur l'étiquette ! Vous boirez quand même un petit coup ?

Un instant, Scott Marlow en voulut au duc Andrew d'être mort dans un pays où sévissait une telle barbarie. Il ne refusa pas de goûter au vin, pour ne pas se comporter, lui, comme un malotru.

— Quel genre de poissons pêchez-vous ? demanda Higgins.

— Surtout des touristes. La *Luna* est un bateau à voiles, à rames ou à moteur, selon les circonstances. Personne ne résiste à l'envie de faire un petit tour sur la grande bleue. Ça vous dirait ?

— La mer semble mauvaise, avança le superintendant.

Bertin Boyer le dévisagea comme une bête curieuse.

— Par ce temps-là, je vous emmène en Corse en moins de temps qu'il ne faut pour le dire. Il paraît que tous les Anglais ont le pied marin... On m'aurait abusé ?

— Pas du tout, pas du tout...

— Alors, on y va ! Ça me fait le plus grand plaisir... J'éprouve une grande tendresse pour l'Angleterre. C'est à elle qu'aurait dû revenir Nice et pas à la France. Mais je suis Niçois avant tout, et ça, personne ne peut l'oublier. Vu ?

— Vu, admit Scott Marlow, dont le cœur se soulevait à l'idée de voguer sur la crête de vagues d'au moins dix centimètres.

Le calvaire du superintendant commença dès la

sortie du port. Il s'accouda au bastingage et tenta de fixer la pointe de ses chaussures, en oubliant qu'il se trouvait sur un bateau et que l'embarcation bougeait. Higgins, qui respirait mieux grâce à un air un peu plus frais, retrouvait d'anciennes sensations. Combien de *miles* avait-il parcourus, toujours étonné de voir le soleil se lever à l'orient, jetant ses rayons sur une immensité qui avait englouti un paradis à jamais perdu?

Bertin Boyer offrit une cigarette à Higgins, qui refusa. Le patron de la *Luna* fuma à petites bouffées. L'ex-inspecteur-chef nota qu'il avait choisi une marque américaine rare et coûteuse.

— Qui vous a parlé de moi?

— Pierre Michelotti. Il prétend que rien de ce qui se passe à Nice ne vous échappe.

— Un brave garçon, mais un peu excessif.

— Ne soyez pas modeste. M. Boyer. A vous voir, on pressent l'homme d'expérience attentif aux événements.

Le marin aspira la fumée, la garda longtemps dans les poumons et l'exhala avec un air dubitatif.

— La mer est vraiment superbe, aujourd'hui. L'ennui, c'est que vous ne faites pas du tourisme.

— J'enquête, à titre personnel et sans aucune autorisation de la police française, sur l'assassinat du duc Andrew de Stonenfeld.

Boyer sourit à pleines dents.

— Ça, ça me plaît. Pas l'assassinat, mais votre côté clandestin. Si vous faites la nique à Martini, vous êtes mon pote. Topez là!

Higgins topa. En certaines circonstances, il fallait savoir s'affranchir des bonnes manières apprises à Cambridge. Après s'être assuré, du coin de l'œil, que Scott Marlow tenait bon, l'ex-inspecteur-chef prêta la plus grande attention aux paroles de son interlocuteur.

— C'était un drôle de coucou, notre duc... pas très sympathique en apparence, mais amoureux de Nice. Il baguenaudait souvent dans les ruelles de la vieille ville, pour y déguster la cuisine locale.

— Fréquentait-il le marché aux fleurs?

— Comme tout le monde.

— Avait-il des ennemis?

— Je ne crois pas. Armani, peut-être.

— Le chef des pénitents noirs?

— Lui-même. C'est un francophile convaincu. Encore un qui aurait voté le ralliement de Nice à la France et l'abandon de notre culture. A cause de gens comme lui, on ne parle presque plus notre langue et on a perdu tous nos poètes. Des types comme ça, il faudrait les expulser et les exiler dans le nord.

— Le voyez-vous dans les habits d'un assassin?

Le marin réfléchit, les yeux levés vers le ciel d'azur.

— Sûrement pas. Trop lâche. C'est un matamore qui assène ses coups par en dessous et voudrait apparaître comme un saint homme. De là à massacrer son prochain...

— Drôle de meurtre, non? On a voulu tuer plusieurs fois le duc, semble-t-il.

— Nous, on s'y perd un peu. On a parlé d'une bombe, d'un revolver, d'un couteau... Que sais-je encore! Fallait-il qu'il fût haï, le malheureux...

— Aucun bruit n'a circulé sur l'identité d'un assassin?

— Aucun... C'est même étrange. D'ordinaire, quand un forfait est commis, les langues se délient. Cette fois, silence total. Je ne m'explique pas pourquoi. Même les pipelettes n'ont rien dit.

— Pourrait-on imaginer que quelqu'un eût donné un ordre?

— A Nice? Impossible. Les ordres sont donnés pour être contournés. Et si quelqu'un avait osé se comporter ainsi, je le saurais.

La *Luna* prit le chemin du retour. Héroïque, Scott Marlow continuait à fixer la pointe de ses chaussures.

— Pour un meurtre mystérieux, inspecteur, c'est un meurtre mystérieux. A se demander s'il sera élucidé un jour.

— Si je suis à Nice, c'est pour y parvenir. On ne peut jurer de rien mais je suis tenace

Une mouette survola le bateau. Bertin Boyer tint bon la barre.

— Je mène une autre enquête, avoua Higgins. Encore plus confidentielle...

— A quel propos?

— J'aimerais connaître les cercles un peu... fermés que fréquentent les Anglaises.

— Ah! ah! On a envie de s'amuser?

Higgins se contenta d'un signe de tête équivoque, que le marin interpréta comme une affirmation.

— Là-dessus, je peux vous renseigner sans difficulté... Les Anglaises mélangées à des indigènes, ou non ?

— Je préférerais un cercle strictement britannique, d'accès très difficile et pratiquement inconnu.

Bertin Boyer se gratta le sommet du crâne.

— J'ai ce qu'il vous faut mais le droit d'entrée est plutôt élevé. Si ça ne vous fait pas peur... On ne sait pas trop ce qui se passe à l'intérieur. Les réunions ont lieu uniquement le vendredi. La porte cintrée, à l'angle de la rue de la Croix et de la rue Rossetti.

La *Luna* rentra au port.

— Votre ami, là... il vaudrait mieux qu'il ne vous accompagne pas. Il n'a vraiment pas le style british.

CHAPITRE XII

Afin qu'il se remît de ses émotions, Higgins offrit une bière brune à Scott Marlow. Ce dernier but à petites gorgées, comme s'il reprenait progressivement goût à la vie.

— Vous avez été très courageux, mon cher Marlow.

— Ce fut terrible, Higgins, terrible... l'estomac montait et descendait, les vagues déferlaient... et nous sommes passés à travers.

— Si nous continuons de cette manière, nous risquons de passer également au travers de cette enquête.

— Ce Boyer me paraît éminemment suspect. Il ment comme il respire. Je n'ai pas entendu grand-chose de votre conversation mais je suis sûr de mon jugement.

— Il me paraît excellent. Pour un homme au courant de tout, notre ami Boyer est vraiment mal informé.

— L'ennui, c'est que nous n'avons aucun moyen

officiel de le faire parler. Un faux pas et le commissaire nous expulse.

— Avez-vous des nouvelles du congrès?

— Pas fameuses. Les criminologues ont formulé plus de cinquante hypothèses qu'il convient d'analyser en détail. Ces travaux prendront beaucoup de temps... Il sera difficile d'établir l'unanimité sur le nom d'un assassin.

— Regrettable, en effet. Il ne nous reste pas beaucoup d'espoir d'atteindre la vérité.

— Vous êtes bien défaitiste, Higgins. Ce climat chaud ne vous convient pas. Moi, j'ai une idée et je compte la mettre à exécution bien qu'elle comporte certains risques.

— Consentirez-vous à me mettre au courant?

— Je vous fournirai les résultats de mon investigation. A mon sens, ils nous feront progresser de façon spectaculaire.

— Je l'espère.

— Souhaitez-moi bonne chance, Higgins.

— Que Dieu vous assiste.

Higgins retourna au *Westminster* après avoir déambulé sur la Promenade des Anglais. Il avait hésité à suivre Marlow, qui, bien entendu, avait décidé de suivre Bertin Boyer. L'ex-inspecteur-chef espérait que les intuitions de son collègue se révéleraient exactes et qu'il ne courait qu'un danger minime.

Si Higgins était considéré comme le meilleur « nez » du Yard, Marlow se vantait de posséder un certain flair. Un ou deux regards lui suffisaient à identifier certains criminels comme ce Bertin Boyer, qui détenait certainement l'une des clés de l'affaire Stonenfeld. L'homme était habile et dissimulateur. Il avait cru se jouer des deux Anglais, jugés comme des naïfs. Il ignorait qu'un superintendant du Yard, même victime du mal de mer, demeurait un professionnel implacable.

Marlow, dissimulé derrière un camion, attendit que le marin quittât son bateau. Il se dirigea vers le cours Saleya et s'arrêta à l'entrée du marché aux fleurs pour regarder autour de lui. Le superintendant eut le temps de se cacher derrière un groupe de touristes qui achetaient des œillets. Bertin Boyer s'approcha de Ségurane, qui confectionnait des bouquets. Sans lui parler, il jeta un petit paquet dans un seau posé aux pieds de la jeune femme et rempli de fleurs coupées.

Ségurane complice du marin... Scott Marlow venait d'obtenir un premier résultat. Il ne le surprenait pas. Ce Boyer avait la tête d'un chef de réseau. Sans doute organisait-il un trafic de grande envergure auquel le duc s'était trouvé mêlé par hasard.

Quelle solution adopter ? Continuer à suivre Bertin Boyer qui s'éloignait ou observer la manière dont Ségurane utiliserait le paquet ? La jeune fille n'était qu'un rouage secondaire. La faire avouer serait aisé. Le superintendant emboîta donc le pas au marin. Ce dernier s'engagea dans la vieille ville. Il progressa sans hâte, se retourna à plusieurs reprises. Marlow avait suffisamment d'expérience de la filature pour ne pas se laisser repérer ; de plus, il bénéficiait de la présence de la foule, nombreuse et bruyante, qui emplissait les artères étroites.

Boyer sortit de la cohue et des ruelles commerçantes. Les passants se raréfièrent. La tâche de Scott Marlow devint plus délicate. Dans la rue Saint-Augustin régnait un calme presque absolu. Personne ne montait les marches d'un escalier de pierre qui se perdait dans le silence. Le marin, de plus en plus méfiant, jeta des regards nerveux en tous sens et frappa à la porte d'un atelier d'ébéniste qui semblait abandonné depuis longtemps.

La porte s'ouvrit en grinçant. Boyer vérifia une dernière fois que personne ne le suivait. Il se faufila à l'intérieur de la boutique. Selon les règles de l'art, le superintendant attendit une dizaine de minutes. La nuit tombait. La pénombre servait la cause de Scotland Yard. Marlow colla l'œil à une fenêtre bouchée et poussiéreuse, ne perçut aucun signe de vie et poussa doucement la porte sans provoquer de grincement. Un nuage gris agressa ses narines. C'est avec une forte dose de self-control que le policier contint un éternuement. Il s'habitua à l'obscurité avant de progresser dans un atelier encombré de tables et de chaises dont la plupart étaient désarticulées. Il n'aperçut aucune issue. Où Boyer avait-il disparu ? A pas prudents, évitant de heurter un objet, le superintendant explora le petit espace si encombré. Derrière un buffet provençal, il distingua un panneau mal fixé. Une rainure lumineuse prouvait l'existence d'une autre pièce où quelqu'un avait allumé une lampe.

La gorge serrée, Scott Marlow écarta délicatement le panneau, qui libéra un étroit passage. Alors qu'il s'y engageait, une violente lumière l'aveugla. Quand il rouvrit les yeux, il découvrit un spectacle aussi horrible qu'insolite : des chauves-souris sortaient des tours d'un château fort et se ruaient sur lui.

Le superintendant, victime d'un violent coup sur la nuque, sombra dans les ténèbres.

Higgins sortait de table, quand le commissaire Martini l'aborda d'une manière plutôt cavalière.

— J'ai votre collègue dans ma voiture!

— Heureux de l'apprendre.

— On l'a ramassé dans le Vieux Nice, avec une belle bosse. Il refuse d'aller à l'hôpital.

— Le superintendant fut un combattant valeureux et sait apprécier la gravité d'une blessure.

— Moi, j'aimerais savoir ce qui lui est arrivé.

— Le lui avez-vous demandé?

— Il ne parle qu'en anglais. C'est extrêmement désagréable.

— L'état de choc.

— J'espérais que vous me fourniriez quelques explications.

— Désolé de vous décevoir.

— Vous ignoriez l'endroit où se rendait votre collègue?

— En douteriez-vous?

— Vous ne possédez donc aucune information sur cet incident?

— J'en suis au même point que vous.

— Eh bien, récupérez-le et demandez-lui de se tenir tranquille.

— Aurait-il commis un acte répréhensible?

Le commissaire Martini haussa les épaules.

— Nice est une ville paisible. J'entends qu'elle le demeure.

— C'est le bonheur que nous lui souhaitons tous. Des lumières sur l'assassinat du duc Andrew de Stonenfeld?

— Nous étudions les indices. D'après le labo, la chaussure que vous m'avez signalée pourrait bien se mettre à parler.

— J'en suis heureux.

Martini et l'un de ses inspecteurs amenèrent Scott Marlow jusqu'à la chambre de Higgins, où ce dernier avait fait monter un double whisky. Après le départ des policiers français, le superintendant poussa un long soupir.

— Je ne suis pas couard, Higgins, mais j'ai éprouvé la plus grande peur de mon existence!

Marlow rapporta les événements en détail. Il n'oublia pas de mentionner la complicité de Ségurane, en guettant la réaction de l'ex-inspecteur-chef, qui demeura imperturbable.

— Avez-vous vu votre agresseur?

— Hélas! non. Ce ne peut être que Bertin Boyer.

— Ne nous hâtons pas de conclure. Vous-même supposez qu'il est à la tête d'une sorte de réseau. Sans doute s'est-il rendu chez un complice qui vous a assommé. Décrivez-moi de nouveau ce château fort et ces chauves-souris.

Higgins écouta avec attention. Il fouilla longuement dans sa mémoire.

— Je crois que vous avez mis au jour une redoutable filière criminelle.

Marlow éprouva une frayeur rétrospective.

— Nous devrions fouiller de fond en comble cet atelier d'ébéniste.

— Sans l'aide de la police française, impossible. Il existe une autre méthode pour retrouver votre agresseur.

— Laquelle?

— La *ratapignata*.

CHAPITRE XIII

Après une nuit de repos et une compresse d'arnica prescrite par Higgins, Scott Marlow se sentit ragaillardi. Il accepta volontiers d'accompagner son collègue, désireux qu'il était d'identifier l'adversaire qui l'avait agressé par-derrière, et plus encore le réseau de malfaiteurs dont il restait à préciser l'activité. Le superintendant eût aimé que son collègue lui confiât son hypothèse, mais il savait aussi que personne n'avait jamais réussi à faire parler Higgins contre son gré.

Force lui fut donc de marcher, sous le soleil d'automne, jusqu'à la place Masséna, considérée comme le cœur du Nice moderne, édifiée à la gloire d'un des plus fameux maréchaux d'Empire. S'inspirant dans le dessin de ses arcades de la rue de Rivoli, à Paris, la place, ornée de la fontaine des Planètes, s'ouvrait d'un côté au luxe de la ville la plus récente et, de l'autre, marquait l'entrée du Vieux Nice.

Depuis le dix-neuvième siècle, époque de sa construction, la place Masséna, caractérisée par un demi-cercle bordé d'élégants immeubles aux façades rouges, était le centre de l'animation citadine.

A neuf heures du matin, la chaleur parut déjà difficilement supportable à Higgins. Le mauvais temps annoncé s'était dissipé sous l'effet d'un vent du sud qui réchauffait l'atmosphère. L'ex-inspecteur-chef s'arrêta devant la fontaine.

— Qui attendons-nous?

— Un peu de patience, mon cher Marlow. Il devrait venir.

Une vingtaine de minutes plus tard, un homme maigre et élancé, d'une quarantaine d'années, posa son carton à dessins sur le rebord de la fontaine. La mine sévère, il fumait une pipe en terre. Coiffé d'un chapeau blanc qui mettait en valeur son bronzage, il commença à crayonner.

Higgins, mains croisées derrière le dos, s'approcha de lui.

— M. Ricci, je présume?

L'homme se retourna, surpris.

— Qui êtes-vous?

— Higgins, venu d'Angleterre pour vous rencontrer.

— Comment connaissez-vous mon nom?

— Qui ne connaît pas le plus célèbre carnavalier de Nice! Autrefois, je vous aurais cherché sur le cours Saleya. Mais, aujourd'hui, vous venez percevoir ici les désirs de sire Carnaval, afin de lui construire le plus beau char.

— Notre tradition vous semble familière.

— Mon ami Marlow et moi-même aimerions visiter votre atelier.

— C'est interdit.

— Je ne parlais pas de l'atelier des maquettes, mais de celui des matériaux. Les touristes y furent toujours bien accueillis.

— A l'exception des Anglais, qui ont colonisé Nice et l'ont défigurée. Avant leur arrivée, nous étions bien tranquilles. Je déteste aussi les Français et les Savoyards, tous les envahisseurs qui nous empêchent de vivre librement. Nice aux Niçois, voilà ma devise ! Un jour, nous recouvrerons notre indépendance et bouterons hors de la ville les étrangers.

Scott Marlow trépigna. Ce malotru aurait mérité une bonne correction. Sans la présence civilisatrice des Britanniques, Nice serait restée une bourgade de province perdue au fin fond d'une région inhospitalière.

— Toutes les querelles ne doivent-elles pas s'éteindre dans les feux du carnaval ? demanda Higgins.

Louis Ricci, animé d'un élan mystique, leva les bras au ciel.

— Oh ! Carnaval ! Oh ! Lui s'en moque qu'on le dise original, sage ou dément ! Il n'est pas le seul loufoque qui pénètre dans le bal. Sa femme, dame Carême, veut toujours le contrarier. Carnaval, toujours le même, la laisse crier !

Le carnavalier redevint glacial et contempla les deux policiers.

— Qui que vous soyez, vous êtes les bienvenus. On n'invoque pas en vain l'esprit du Carnaval.

Vous jouirez des honneurs du plus fameux atelier de fête et de folie.

En Angleterre, le superintendant aurait demandé l'internement immédiat de ce personnage à l'esprit dérangé. S'il existait beaucoup de spécimens comparables, comment s'étonner que la France fût un pays ingouvernable ?

Louis Ricci remplit de tabac le fourneau de sa pipe, referma son carton à dessins et, sans mot dire, prit la direction du Vieux Nice. Marlow quitta à regret la place Masséna qui, par sa taille et l'organisation de l'espace, avait quelque chose de britannique. Pénétrer de nouveau dans le labyrinthe des ruelles ne l'enchantait pas. Secourable, Higgins donna à son collègue un flacon d'arnica, teinture mère indispensable pour étouffer dans l'œuf les futures bosses.

Louis Ricci, qui marchait d'un bon pas, conduisit les deux policiers jusqu'à la « maison Cassini », dans la ruelle Saint-Augustin. L'étrange demeure, à la façade peinte en vert, se distinguait des bâtisses environnantes. Des balcons en fer forgé ornaient ses deux étages ; une galerie vitrée et une terrasse, sur le toit plat, lui conféraient une allure originale et fragile.

L'atelier de Louis Ricci se trouvait à côté de la maison Cassini. On y accédait par une porte basse, aux ferrures anciennes, qui s'ouvrait sur une volée de marches aboutissant dans une vaste cave. Le carnavalier alluma plusieurs torches, qui éclairèrent un inquiétant bric-à-brac : tresses de fil de fer, bacs remplis d'argile et de plâtre, brasero, pots de colle, étagères couvertes de carton-pâte et de bandes de papier épais, moules, linteaux de bois. C'était dans des ateliers comme celui-là que, depuis des siècles, la très fermée corporation des carnavaliers, jalouse de ses privilèges et de ses secrets, préparait les groupes sculptés qui faisaient la gloire du carnaval. Louis Ricci, l'un des cent cinquante membres de la confrérie, était fils et petit-fils de carnavalier. Il avait commencé par fabriquer des grosses têtes, avant de s'attaquer à des œuvres plus complexes. Lors de la réalisation de son premier char, il avait été acclamé et reconnu comme l'un des plus doués de sa génération. Il modelait des ébauches dans la glaise avec une incroyable facilité et montait carcasses et armatures de bois ou de métal sans l'aide de personne.

— Voilà. Vous avez vu mon capharnaüm. Satisfaits ?

— Pas encore, répondit Higgins qui, à l'aide d'une longue allumette, fit jaillir une flamme du brasero, dont il régla l'intensité.

Ricci, brusquement inquiet, ouvrit une trappe d'aération.

— Qu'est-ce que vous faites ?

— Le feu est nécessaire pour chauffer la colle, et la qualité de la colle est l'un de vos secrets les mieux gardés.

L'ex-inspecteur-chef s'empara d'un pot entamé.

— Ne touchez pas à ça !

Marlow obligea Ricci à poser la corde qu'il avait empoignée et dont il menaçait Higgins.

— Calmez-vous, mon garçon, et veuillez reculer.

— De quoi vous mêlez-vous?

— Ne m'échauffez pas davantage la bile et remettez-moi cette corde.

Impressionné par le ton décidé du superintendant, Louis Ricci obéit.

— Si je déteste les Anglais, j'ai mes raisons... Vous êtes tous les mêmes : des colonisateurs!

Higgins, qui ne s'était pas départi de son calme, manipulait le pot.

— Si je bénéficiais de vos compétences et de votre talent, M. Ricci, je saurais faire chauffer cette colle à la température exacte qui lui conférerait fluidité et durabilité. Ensuite, je choisirais le meilleur papier et, là encore, il me faudrait un certain génie pour ne pas me tromper. Colle et papier : les deux matériaux de base des sculptures du carnaval.

Louis Ricci, bras croisés et pipe fumante, ironisa.

— Vous essayez de m'apprendre mon métier?

— Certes pas. Je songeais simplement au cadavre d'un duc, dont les lèvres avaient été collées et recouvertes d'un papier très épais, analogue à ceux que vous utilisez, comme si l'on avait voulu transformer son visage en masque de carnaval.

— Vous délirez.

— N'est-ce pas le propre d'un carnavalier, qui doit mêler le rire et le rêve?

Higgins s'approcha de Marlow.

— On n'a pas seulement étouffé le duc. On l'a

aussi étranglé avec une corde de chanvre. Elle est identique à celle-ci.

Le superintendant regarda avec horreur l'arme du crime, qu'il tenait entre ses mains. Il eut envie de la passer autour du cou de Ricci, dont la culpabilité ne faisait plus guère de doute.

— Quelles étaient vos relations exactes avec Andrew de Stonenfeld, M. Ricci ?

— Inexistantes. Je ne fréquente pas d'étrangers.

— Vous préférez les étouffer, les étrangler... ou les assommer.

— Je ne comprends pas.

— Bien sûr que si.

— Vous m'accusez sans preuve.

— J'en ai une : la *ratapignata*.

CHAPITRE XIV

Les lèvres de Ricci s'entrouvrirent. La pipe de terre tomba et se cassa.

— Vous n'avez pas le droit...

— Si nous visitions l'ébénisterie de la Providence ?

— Je refuse.

Scott Marlow tordit la corde, menaçant.

— N'essayez plus de résister ou mes nerfs vont lâcher.

Ricci, qui ne mésestima pas la violence à peine contenue, s'inclina. Higgins prit soin d'éteindre le brasero.

— Emportons-nous la colle et le papier ? interrogea le superintendant.

— Ce sont bien ceux-là qui ont servi à clore la bouche du duc. La police française se chargera des analyses.

— Il y a d'autres ateliers ! protesta le carnavalier. Quiconque connaît un peu les traditions niçoises a pu s'en procurer !

— Marchons, M. Ricci.

La petite place était toujours aussi calme. Déserté, l'escalier de la Providence semblait abandonné à son sort.

— Ouvrez, exigea Marlow, en désignant la porte de l'ébénisterie.

La détresse s'inscrivit sur le visage de Louis Ricci.

— J'appartiens à la plus noble des corporations. Personne n'a rien à me reprocher. Qui êtes-vous vraiment, pour oser m'agresser de la sorte ?

— Scotland Yard.

Le bronzage disparut sous une pâleur subite.

— Pourquoi la police anglaise me persécute-t-elle ?

— Ouvrez, M. Ricci.

Plus le superintendant approchait de la vérité, plus il s'énervait. Avoir en face de soi un lâche déclenchait une ire justifiée. Le carnavalier cessa d'atermoyer. Il frappa à la porte selon le code. On ne répondit pas.

— Il n'y a personne.

— Même si votre complice est absent, vous connaissez certainement le moyen d'entrer.

— Je vous jure que non.

Passant outre le code de bonne conduite imposé par le Yard, Marlow attrapa Ricci par le col de sa chemise.

— Ma patience est à bout.

— Vous devriez vous méfier du superintendant, conseilla Higgins. Lorsqu'il se déchaîne, il est plus dangereux qu'une tempête en Méditerranée.

L'allusion était explicite. Le carnavalier souleva l'une des pierres de l'escalier tout proche et sortit une clé de la cavité où la cachaient les utilisateurs de l'ébénisterie. Elle tourna dans la serrure en grinçant.

Scott Marlow reconnut la première pièce. Rien n'avait changé.

— Voici l'atelier désaffecté, expliqua Ricci. On y entrepose de vieux meubles.

— L'arrière-boutique.

— Il n'y a pas...

Le regard du superintendant dissuada Ricci de mentir davantage. Il fit pivoter le panneau, qui donnait accès à une seconde pièce, moins large et plus profonde.

— De la lumière, exigea Marlow.

Le carnavalier appuya sur un interrupteur. Une clarté éblouissante jaillit. Effrayé, Marlow recula.

— Là, regardez! Le château fort et les chauves-souris!

— La *ratapignata*, indiqua Higgins.

Louis Ricci, profitant de l'effet de surprise, tenta de s'enfuir. Mais la voie était étroite, et le pied gauche de Higgins se tendit au moment précis où le Niçois s'élançait vers la liberté. Déséquilibré, il s'effondra dans la poussière, où Scott Marlow le ramassa sans ménagement.

— Voilà le plus éclatant des aveux! C'est bien toi qui m'as assommé... Pourquoi?

— Vous risquiez d'abîmer la *ratapignata*.

Le superintendant se tourna vers l'énorme char

de carnaval qui occupait presque entièrement l'arrière-boutique. Des tourelles d'une forteresse médiévale, dont chaque détail était sculpté avec précision dans du carton-pâte peint en noir, s'envolaient une cinquantaine de chauves-souris accrochées à des bras articulés.

— Voilà une belle réplique d'un des plus fameux chars du passé carnavalesque, apprécia Higgins. Il avait causé un énorme scandale, lors de son apparition dans les rues de la ville, mais également suscité l'admiration des connaisseurs. Bon travail, M. Ricci.

— Je ne suis pas mécontent, avoua l'artiste, un peu gêné.

— Vous affichez un goût prononcé pour le monde de la nuit et les forces des ténèbres. Dans la version originale, c'étaient des figurants qui revêtaient des fourrures noires et jouaient le rôle des chauves-souris. Lors de l'agression perpétrée contre le superintendant, je suppose que votre complice, Bertin Boyer, a manié les bras articulés.

— Mais non... il n'était pas là et moi non plus!

Higgins tourna autour de la *ratapignata*.

— La chauve-souris est un mammifère d'une intelligence supérieure. L'obscurité ne la gêne pas. D'anciens écrits prétendent même qu'elle gardait des trésors cachés. Qu'en pensez-vous, M. Ricci?

— Des légendes, de simples légendes...

Le superintendant fulminait.

— Je crois que j'ai compris, Higgins. Surveillez-le. S'il tente encore de s'échapper, je le mas sacre.

Ricci ne prit pas l'avertissement à la légère. Pourtant, lorsque Scott Marlow escalada la partie avant du char, il essaya de s'y opposer.

— La *ratapignata* est très fragile ! Je vous en prie...

— Taisez-vous et ne bougez plus.

Avec des doigts de fée, le superintendant ôta la toiture conique d'une tour. Il plongea la main à l'intérieur et en retira une bouteille sans étiquette. Il la déboucha et mit son nez sur le goulot.

— Exactement ce que je supposais : de l'alcool de contrebande.

Abattu, le carnavalier ne réagit plus. Scott Marlow explora les autres tours, d'où il sortit plusieurs autres bouteilles et quantité de cartouches de cigarettes américaines. La marque que fumait Bertin Boyer.

— La *ratapignata*, après le carnaval, aurait été exposée dans plusieurs villes de la côte, comme les autres chars les plus réussis. Tous auraient servi de cache pour cette marchandise illicite. Des bénéfices considérables en perspective, M. Ricci, pour ceux qui participent à ce trafic.

— J'ignorais tout. On s'est servi de moi.

— Ce n'est guère vraisemblable, jugea Higgins. Vous devriez nous donner le nom de vos complices.

— Qui vous a aidé à m'estourbir ? insista Marlow.

Le carnavalier recula et s'adossa à un mur.

— Pourquoi m'accuser, moi ? Je ne suis pas le seul coupable... Il y en a d'autres !

— Nous y voilà ! Les noms ?

— Je ne peux pas... C'est ma vie qui est en jeu, comprenez-le !

— Le duc de Stonenfeld a perdu la sienne, rappela Higgins.

— Je ne comprends pas pourquoi, je vous jure !

— Vous l'avez avoué : vous le détestiez. De quelle manière s'est-il mêlé à votre négoce clandestin ?

— D'aucune ! Nous vendons à de petits cabarets de la côte, plus ou moins interdits par la police. Pour vivre, ils doivent bien s'approvisionner. Nous rendons service, rien de plus. Le meilleur commerce s'est toujours fait sans factures.

— Une manière de charité... Vos affaires ne m'intéressent guère, M. Ricci. Je veux élucider les circonstances de la mort du duc.

— Si je savais quelque chose de précis, je vous le dirais. Je ne fréquentais pas cet homme-là.

Scott Marlow repassa à l'attaque.

— Vos complices, Ricci.

— Ma sécurité...

— Répondez immédiatement par oui ou par non. Pierre Michelotti ?

Etonné, le carnavalier hocha négativement la tête.

— Bertin Boyer ?

Après une hésitation, Louis Ricci murmura un « oui » à peine audible.

— Marc-Antoine Armani ?

— Non...

— Ségurane, la marchande d'œillets?

— La petite Ségurane? Vous plaisantez?

— J'ai vu Boyer lui remettre un paquet qui contenait des cigarettes de contrebande.

— C'était plutôt un cadeau.

— Pour quelle raison?

— Bertin Boyer est l'oncle de Ségurane. Il adore sa nièce et lui offre souvent un peu d'argent ou des bijoux. La petite en ignore la provenance.

Marlow jugea suspectes ces révélations. Pour lui, aucun membre d'un réseau, fût-il simple courrier, n'était innocent.

— Cela signifie donc, précisa Higgins, que l'oncle et la nièce sont très liés?

— Très liés, en effet. Mais elle ignore tout de ses activités réelles.

— Bertin Boyer est bien le chef du réseau?

Ricci, honteux, hocha affirmativement la tête.

— Connaissait-il le duc?

— Il a dû le croiser dans les ruelles du Vieux Nice, comme tout le monde.

— Etes-vous certain qu'il n'a pas traité d'affaires avec lui?

— Bertin ne me tenait pas au courant de ses diverses entreprises... Moi, je ne suis qu'un exécutant. L'essentiel c'est mon art. Préparer un beau char exige des milliers d'heures de travail mais ça ne nourrit pas son homme. En échange de mes petits services, Bertin se montrait généreux. Pour moi, il représente l'indépendance et la tranquillité.

— Un art payé de cette manière ne peut être que

méprisable, dit Scott Marlow, aussi sévère que s'il portait la perruque d'un juge anglais.

— Sale British ! s'emporta le carnavalier. Vous êtes incapable d'apprécier la grandeur !

Higgins s'interposa. Sans son intervention, les deux hommes en seraient venus aux mains. Le carnavalier retrouva subitement sa morgue.

— Inutile de propager vos découvertes, messieurs, ou de déposer plainte contre Boyer et moi. A Nice, on est connus et respectés. Ce n'est pas la police qui nous causera des ennuis, vu que le commissaire Martini est un peu au courant de nos activités.

CHAPITRE XV

Une intense polémique opposa le superintendant à l'ex-inspecteur-chef, assis à la terrasse du *Westminster*. Scott Marlow parlait de corruption de fonctionnaires, de dégradation inéluctable de la police française, de décadence morale et de course vers l'abîme. Higgins lui objecta la mentalité méditerranéenne, un subtil mélange de réglementation et de permissivité, et une nécessaire adaptation aux coutumes locales, qui avaient élevé la contrebande au rang des pratiques commerciales habituelles. Le superintendant refusa toute concession à cette vision du réel, qui transformait la tolérance en laxisme. Par moments, il se demandait si son collègue n'était pas dépourvu du sens éthique le plus élémentaire.

— Quel que soit l'intérêt de notre débat, mon cher Marlow, un point est fermement établi : la mort du duc demeure toujours aussi mystérieuse.

— Ce n'est pas mon avis. Nous avançons à grands pas. Il vous suffit de considérer les indices. Trois d'entre eux chez le seul Louis Ricci : la colle, le papier et la corde. L'œillet nous renvoie à la jeune Ségurane ou à Marc-Antoine Armani. Quant au boulet, il peut avoir été manipulé par n'importe qui. Son poids n'est pas considérable.

— Restent le couteau et le poison...

— Continuons à creuser et nous trouverons.

— Votre théorie suppose une complicité entre tous les suspects.

— Mais enfin, Higgins, c'est évident ! Nous venons de mettre au jour un réseau clandestin où tous sont impliqués d'une manière ou d'une autre !

— Vous allez vite en besogne, superintendant. Vous comme moi avons appris à nous méfier des évidences. Mais vous avez peut-être raison...

Scott Marlow se rengorgea. Dans cette affaire, sans doute moins trouble qu'il n'y paraissait, il avait la nette sensation de mener la barque et de tirer Higgins derrière lui. L'ex-inspecteur-chef était probablement déçu par le caractère sordide de cette enquête et le résultat trivial auquel elle aboutissait.

— Je vous propose de procéder à une confrontation.

— De quelle nature ?

— Nous avons rendez-vous au restaurant *Da Pato* et il vaudrait mieux être à l'heure.

Au cœur du Vieux Nice, le restaurant *Da Pato* offrait un cadre traditionnel et un accueil chaleureux. Au sol, des tomettes rouge sombre de la meilleure veine provençale. Du plafond aux poutres apparentes pendaient un chaudron de cuivre rempli de mimosa séché et un licol ancien. Dans la cheminée, dominée par un aigle empaillé, crépitait un feu. Sur le rebord étaient exposés de vieux moulins à café et des fers à repasser.

Higgins choisit une table tranquille, non loin d'un petit escalier qui descendait vers une partie privée dont la porte était surmontée par un cor de chasse. A côté de la chaise de Marlow, une superbe amphore provenant d'une fouille sous-marine. Le superintendant, inquiet, regardait le cuisinier préparer ses plats au vu et au su des convives. Il maniait avec dextérité ail, piment, laurier, basilic, oignons et feuilles de pâte, tout en surveillant son four.

Pour patienter, Higgins avait commandé un vin de Cassis fruité à souhait. Sur le menu, Marlow n'avait déniché ni petits pois à la menthe ni apple pie. Une multitude de noms bizarres l'inquiétaient, malgré les dires de son collègue qui vantait l'excellence de la cuisine niçoise.

A midi trente, Pierre Michelotti traversa la place Rossetti et entra dans le restaurant. Dès qu'il eut repéré les deux policiers, il marcha vers eux d'un pas décidé.

— Merci pour cette invitation... mais que cherchez-vous encore ?

— La vérité, répondit Higgins. Et d'abord un bon repas entre amis.

— Hmmm... Je me demande si j'ai vraiment envie de m'asseoir.

— Ne vous interrogez plus. Qui résisterait à un verre de Cassis ?

Michelotti, plus trapu et renfrogné qu'à l'ordinaire, tira machinalement sur les poils noirs de sa moustache et prit place face à Higgins et à côté de Marlow.

A midi trente-cinq, Bertin Boyer traversa la place de la Halle aux herbes et poussa la porte du restaurant. Une cigarette américaine aux lèvres, vêtu d'un costume bleu pétrole, il n'avait plus l'allure d'un marin mais ressemblait à un honorable directeur de société.

— Tiens, Michelotti et Scotland Yard... des révélations dans l'air ?

— Le seul à pouvoir faire des révélations, rétorqua sèchement l'abbé des fous, c'est toi.

A l'invitation de Higgins, Bertin Boyer, décontracté, s'assit à côté de l'ex-inspecteur-chef et face au superintendant.

— Je crois que vous vous connaissez bien, avança Higgins, bonhomme.

— Pas précisément, objecta le marin. Michelotti était une personnalité niçoise.

— Etait ? s'étonna Higgins.

— Depuis qu'il a été exclu du conseil municipal pour faute grave, son renom en a pris un coup.

Dans les yeux de l'abbé des fous brilla une lueur de haine.

— Moi, je suis un Français. Toi, tu es un Anglais déguisé en Niçois. Du côté des fautes graves, tu n'es pas mal placé. Seulement M. Boyer jouit de hautes protections.

— Quel beau Français tu fais, avec un père gênois !

— Moi, je ne me traîne pas dans la boue pour de l'argent.

Bertin Boyer se leva.

— Ça veut dire quoi ?

— Rasseyez-vous, le pria Higgins. Si nous commandions ?

La salade niçoise, fruitée et veloutée, enchanta les palais. Tomates, petits artichauts, concombres, poivrons verts, œufs durs, filets d'anchois et basilic charmèrent Scott Marlow, qui mangea de bon appétit. Pierre Michelotti, mal à l'aise, grignota. Après une longue tirade de Bertin Boyer sur la beauté éternelle de la Méditerranée et la splendeur de l'arrière-pays niçois, l'abbé des fous lança une nouvelle attaque.

— Ton protecteur, Bertin, c'est Armani. Il veut ma peau. Et toi aussi.

— Tu divagues, mon petit Pierre. Marc-Antoine est le plus charitable des hommes. Si tu n'avais pas commis une grosse bêtise, tu n'en serais pas là.

— Un jour, tu iras en prison. J'en rirai des nuits entières. Tu te crois invulnérable, Bertin. Tu as tort. Chaque homme a son point faible. Le tien, c'est Armani. Il ne songe qu'à lui. Il trahira ses meilleurs amis pour garder son pouvoir.

— Est-ce bien utile de déballer ton linge sale devant nos amis anglais ? Scotland Yard n'est pas une blanchisserie.

— Je n'ai plus rien à perdre, moi. Je suis au fond du trou.

— Pas encore, mon petit Pierre, pas encore. Continue comme ça et tu iras beaucoup plus bas.

— Tu n'oserais quand même pas...

— Ce n'est pas mon style. Mais d'autres seront moins délicats.

Higgins se hâta de remplir les verres de vin de Cassis pour détendre l'atmosphère. Puis les quatre convives s'accordèrent sur le choix d'une pissaladière, d'une tarte au hachis d'oignons cuits, parsemée d'olives noires et de filets d'anchois. La suivraient des daurades au basilic.

— Eprouvez-vous une certaine tendresse pour les boulets de canon du seizième siècle ? demanda-t-il à Bertin Boyer.

— J'ai horreur des armes à feu.

— Et vous, M. Michelotti ?

— Si l'un d'eux fracassait le crâne de Marc-Antoine Armani, je sauterais de joie.

L'abbé des fous s'était exprimé avec une haine si perceptible que Scott Marlow avala de travers un filet d'anchois. La quinte de toux passée, il interrogea l'inquiétant abbé des fous sur un sujet brûlant.

— Quelles sont vos relations exactes avec Ségurane ?

— Inexistantes. Comme je déteste les œillets, nous n'avons pas échangé trois mots. Si vous voulez en savoir plus, interrogez son oncle.

Les regards des deux policiers convergèrent vers Bertin Boyer, qui cessa brusquement de manger.

— Vous vous occupez beaucoup de votre nièce suggéra Higgins.

— Comme ça...

— Pourquoi avoir omis de nous signaler ce lien familial ?

— Ma vie privée ne vous regarde pas.

— Faites-vous souvent des cadeaux à Ségurane ? interrogea Marlow.

— Ça m'arrive... Elle n'est pas riche et elle aime les bibelots. De temps à autre, je dépose un petit paquet dans le seau où elle met les tiges coupées.

— Ce ne serait pas plutôt... des cigarettes ou de l'alcool ?

— Ma nièce ne fume ni ne boit. Laissez-la en dehors de tout ça.

— Impossible, estima Higgins. Oublieriez-vous qu'elle a découvert le cadavre du duc ? En raison de vos liens, elle vous a forcément parlé de cet événement que vous tenez sous silence. Pourquoi, M. Boyer ?

Le marin repoussa son assiette.

— Je n'ai pas à me justifier.

— Tiens donc, ironisa Pierre Michelotti. On dirait que le grand Bertin est en difficulté. La petite Ségurane ne serait-elle pas blanc bleu, par hasard ?

Bertin Boyer se leva.

— Ce déjeuner prend une tournure si désagréable que je me sens obligé de vous quitter. Occupez-vous de notre petit Pierre. Il est loin d'avoir tout dit. Et il vaudrait mieux qu'il se confesse lui-même.

— Qu'est-ce que...

Boyer obligea Michelotti à rester assis.

— Suis mon conseil. Adieu, messieurs.

D'une démarche un peu raide, le marin sortit du restaurant.

— Alors, M. Michelotti, intervint Scott Marlow, cette confession ?

— Bertin est un type dangereux. Il est en cheville avec Armani. Vous feriez bien de vous méfier. La Méditerranée est très profonde.

Sans autre forme de salutation, Pierre Michelotti déserta la table à son tour.

— Le déjeuner n'est pas mauvais, reconnut le superintendant. Pour le reste, nous n'avons pas appris grand-chose.

— C'est selon, jugea Higgins, énigmatique.

CHAPITRE XVI

Higgins appela son ami Watson B. Petticott, l'une des têtes pensantes de la Banque d'Angleterre. Membre du cercle très étroit des amis de l'ex-inspecteur-chef, le banquier ne rêvait que d'enquêtes criminelles. Grâce à Higgins, il connaissait souvent le dessous des cartes. Aussi considérait-il ses requêtes comme prioritaires.

— Higgins ? D'où m'appelles-tu ?

— De Nice. Un congrès de criminologie.

— Il ne s'agirait pas plutôt du meurtre du duc de Stonenfeld ? D'une certaine manière, je ne suis pas surpris.

— Surprenante déclaration, mon cher Watson. Disposerais-tu d'informations confidentielles ?

— Sur le crime, non. Sur le duc, oui. Fabuleux, n'est-il pas vrai ?

— Me juges-tu digne d'être ton confident ?

— Higgins ! C'est un honneur pour moi. Notre cher duc devait fatalement attirer mon attention.

— Pour quel motif ?

— Ses talents financiers sont indéniables, bien

qu'il soit naïf et imprudent. Certains de ses placements les plus récents apparaissent... discutables. Je ne crois guère à une malhonnêteté volontaire, mais un scandale éclatera et éclaboussera la réputation de Stonenfeld.

— Le savait-il ?

— Très probablement. Le blason familial sera terni, la fortune largement amoindrie. Enquête, procès et peut-être prison. Difficile à supporter, pour un duc.

— Tu es un homme passionnant, Watson.

Au *Westminster* avait été déposé un message du commissaire Martini demandant à Higgins de venir au plus vite jusqu'à son bureau. L'ex-inspecteur-chef ne se déroba pas. Pendant cette période où il commençait à démonter une stratégie criminelle des plus curieuses, il ne devait pas se mettre à dos les autorités locales, d'autant plus que les congressistes harcelaient Scott Marlow pour connaître l'état d'avancement de l'enquête. Certains criminologues plaidaient pour l'attentat politique, d'autres pour le crime crapuleux, d'autres encore pour une affaire de mœurs dont les dessous entameraient la crédibilité de l'aristocratie britannique. Bref, on ne parlait que de la tragique disparition du duc Andrew de Stonenfeld. Le *Times* lui-même avait été obligé de revenir sur l'étrange personnalité de la victime, un noble à l'éducation parfaite, dont on ne signalait aucun impair. Bien qu'il n'eût jamais travaillé, le duc possédait un sens inné de la finance. Grand voyageur, il avait visité près d'une centaine de pays avant de passer le plus clair de son temps, ces deux dernières années, dans sa propriété de Nice. Trois fiançailles avec des Anglaises de la High Society avaient été rompues alors que le mariage semblait inéluctable. On accusait le duc d'être trop sauvage ; ne refusait-il pas d'apparaître dans les dîners mondains et dans les réceptions officielles où il était pourtant régulièrement convié ? Des rumeurs, que le journaliste du *Times* écartait avec vigueur, prétendaient qu'Andrew de Stonenfeld était l'esclave d'un lourd secret qui le contraignait à demeurer célibataire.

Higgins ne croyait pas davantage aux on-dit, mais devait en tenir compte. Parfois, ils servaient de masque à des vérités si obscures qu'elles ne trouvaient aucun autre moyen de s'exprimer. Pas à pas se dessinait la figure du duc, que l'ex-inspecteur-chef ne percevait pas encore de manière satisfaisante, comme si le défunt tentait de se maintenir dans les ténèbres afin d'échapper aux investigations. Malgré de nombreuses incertitudes et une vaste zone d'ombre, Higgins éprouvait une certaine sympathie pour le mort. Aussi espérait-il que ses futures approches ne le décevraient pas.

Le commissaire Martini faisait grise mine. Il tourna autour de son bureau tandis que l'ex-inspecteur-chef, tout à fait impeccable dans son blazer armorié et son pantalon de lin, demeurait assis.

— Mon cher collègue, nous piétinons. C'est ennuyeux mais les faits sont là.

— Je souhaite que la présence du superintendant et la mienne ne vous causent aucun souci.

— Au contraire, au contraire ! Votre aide pourrait nous être infiniment précieuse.

Higgins ne manifesta aucune surprise. Il imaginait que ce brusque changement d'attitude était dû à quelque intervention officielle, que Martini se garderait bien d'évoquer. Comment le commissaire, en effet, aurait-il pu rapporter les termes de l'admonestation téléphonique subie une heure plus tôt ? Paris s'était ému, Londres avait toussoté, l'assassinat du duc ridiculisait un congrès dont les travaux aboutiraient au vote de crédits non négligeables, qui tomberaient dans l'escarcelle de plusieurs hauts fonctionnaires. Puisque Marlow et Higgins se trouvaient sur place, une collaboration discrète mais efficace s'imposait. Si Martini faisait la sourde oreille ou travaillait trop lentement, une rapide promotion à Maubeuge lui serait accordée.

— La chaussure a-t-elle parlé ? demanda Higgins.

— C'est le seul terrain sur lequel nous progressions. La terre recueillie provient très probablement de la colline du château. Quant aux égratignures, elles sont dues à un instrument coupant, de structure métallique et au bout pointu. Les uns militent pour une lime à ongles, les autres pour une paire de ciseaux.

— Epineux débat, commissaire.

— D'autres expertises sont en cours. De votre côté, est-ce que par hasard...

— Le superintendant et moi-même prenons grand plaisir à découvrir Nice. Non seulement c'est une ville charmante, mais encore ses habitants sont très accueillants.

— Il paraît que vous avez déjeuné avec Bertin Boyer et Pierre Michelotti.

— C'est exact.

— L'ambiance... bonne?

— Excellente.

— A votre avis, Boyer... est-il lié à ce crime?

— Je ne possède aucune preuve.

— Tant mieux.

— Appartiendrait-il au cercle de vos amis?

La question, pourtant posée avec une bonhomie indulgente, gêna beaucoup le policier français.

— Nous sommes sur la Côte d'Azur, mon cher collègue, dans une province souriante qui possède ses coutumes ancestrales, dont certaines pourraient surprendre des hommes du Nord, habitués à davantage de rigidité... C'est très difficile à expliquer, mais...

— C'est très simple, au contraire. Vous êtes parfaitement au courant du trafic d'alcool et de cigarettes organisé par Bertin Boyer avec la complicité du carnavalier Louis Ricci. L'idée de cacher la marchandise dans des chars de carnaval me semble astucieuse.

— Ah? C'était donc là...

— Je suppose que le bateau de Bertin effectue de fréquentes traversées entre Nice et la Corse, où les amateurs de tabac rare détestent les factures.

— C'est une sorte d'économie parallèle, dont la cessation entraînerait bien des préjudices...

— Si vous laissez faire, poursuivit Higgins, il existe une raison majeure : Boyer et Ricci sont vos indicateurs. Le statut de trafiquants maintient leur réputation auprès de la pègre locale. Ils vous préviennent de la préparation de hold-up et de cambriolages, en échange de leur petit négoce. Voilà pourquoi Nice reste une ville tranquille.

Le commissaire Martini s'écroula dans son fauteuil de cuir, usé par une longue carrière.

— La méthode peut paraître contestable, mais les résultats sont bons.

— Sauf en ce qui concerne l'affaire Stonenfeld; cette fois, ni Boyer ni Ricci ne vous ont procuré la moindre information.

— Hélas! vous avez raison. Je comptais sur eux pour clore au plus vite ce dossier brûlant.

— Ou bien ils ne savent rien, ou bien ils sont mêlés au meurtre.

— Il ne m'est pas très facile d'agir, mon cher collègue. A Nice, tout le monde me connaît. Je ne peux pas froisser certaines susceptibilités.

— C'est bien compréhensible.

— Vous, au contraire, sans faire de vagues...

— Votre projet ne manque pas d'intérêt.

— Les liens d'amitié entre Niçois et Anglais sont anciens et profonds. Au nom de cette entente cordiale, apporterez-vous votre concours désintéressé à la recherche de la vérité?

— Auparavant, j'aimerais vous poser une autre question.

— Faites, mon cher collègue.

— Ségurane Guini fait-elle partie du réseau des contrebandiers ?

— La petite marchande de fleurs ? Certainement pas.

— Boyer est son oncle.

— En effet, mais il n'a pas besoin d'elle. Pour notre petit accord... pas d'objection ?

— J'enquêterai seul, sans aucune entrave, avec l'assistance, elle aussi discrète, du superintendant Marlow.

— C'est bien naturel... mais pour le résultat ?

— Vous serez le premier à le connaître, si j'en obtiens un.

— Fort bien. Mais pour le rapport officiel et la presse ?

— Vous êtes commissaire et moi un simple touriste. Qui d'autre que vous pourrait identifier l'assassin ?

Un large sourire s'épanouit sur les lèvres de Martini.

— Si toutes les polices du monde se tendaient la main, le crime n'existerait plus.

— Noble ambition, commissaire, qui risque de dépasser nos possibilités.

— Ce sera un premier pas ! Il faut voir loin, mon cher collègue !

L'enthousiasme de Martini faisait plaisir à voir. Il ouvrit un dossier.

— Un curieux détail m'est revenu en mémoire. Il y a un an environ, le duc a porté plainte à cause d'une lettre anonyme. Nos investigations n'ont rien donné et il n'a pas reçu d'autre courrier de ce style. A tout hasard, nous avons conservé le document. Désirez-vous le voir ?

Le papier était d'excellente qualité. Higgins reconnut aussitôt les caractères découpés dans un journal, qui n'était autre que le *Times*. Quant au texte, contrairement aux habitudes des auteurs de ce type de littérature, il était rédigé par une langue convenable :

Un duc de votre rang devrait se méfier davantage de son entourage. Si vous persistez dans votre naïveté, je serai obligé d'arracher le masque.

Higgins recopia l'inquiétant message sur son carnet et rendit le document au commissaire.

— Le duc est-il bien mort empoisonné ?

— La cause du décès est très difficile à établir, mais l'empoisonnement est certain.

— La nature de la substance utilisée ?

— Amusante, si j'ose dire. Un très vieux toxique encore actif, même s'il fut long à agir. Un poison archéologique, en quelque sorte ! Une bizarrerie de plus.

CHAPITRE XVII

La rue Droite du Vieux Nice était plutôt sinueuse. Higgins passa devant l'une des plus vieilles boutiques de la ville, l'épicerie Ricci-Gagliolo, dépôt de pain et dépôt de laiterie de la Côte d'Azur, et se dirigea vers la plus belle demeure de la cité, le célèbre palais Lascaris, anciennne demeure des Lascaris-Vintimille, devenue musée municipal. La très étroite artère n'accordait guère de recul au visiteur pour contempler la façade aux balconnets de pierre et aux fenêtres à petits carreaux. A l'angle des fenêtres et sous les balconnets, visages et masques sculptés rappelaient les fastes des dix-septième et dix-huitième siècles, où la gaieté génoise s'alliait à la fougue niçoise.

Higgins aurait pu admirer longuement l'extraordinaire cage d'escalier aux marches en ardoise, aux voûtes d'arêtes ornées de peinture à dominante rouge, s'attarder sur les statues en marbre de Mars et de Vénus, superbe dans sa nudité à peine voilée, découvrir l'étage noble et les appartements d'apparat, accorder un regard à l'alcôve de la chambre d'honneur où Apollon continuait à poursuivre Daphné ; mais l'ex-inspecteur-chef n'avait pas le loisir de goûter les charmes de la magnifique demeure, qui proclamait sa fière devise sur la voûte du grand vestibule, au-dessus de la représentation d'un grand aigle : *Nec me fulgurat*, « Rien ne me foudroie. »

Si l'homme du Yard s'était rendu au palais Lascaris, c'était à cause de la remarque du commissaire Martini : « un poison archéologique ». Où rechercher un ingrédient aussi rare, sinon dans l'admirable pharmacie de style rocaille, provenant de la maison natale de Victor Hugo, à Besançon, et reconstituée à l'intérieur du plus beau palais niçois ? Quoique Higgins n'appréciât guère le caractère pompeux des vers du poète français, auquel il préférait la délicatesse de Harriet J.B. Harrenlittlewoodrof, il reconnut la noblesse de ce domaine d'apothicaire datant du dix-huitième siècle. Chaque remède était rangé dans un tiroir. Derrière la table, où le thérapeute créait ses préparations magistrales, des étagères où trônaient des pots en faïence qui contenaient des drogues. Dans l'arrière-boutique, une vieille dame vêtue de noir classait des archives.

— Pourrais-je vous interrompre un instant ?

Elle se retourna, intriguée.

— Mon nom est Higgins. L'histoire de la pharmacie me passionne. D'après une étude publiée dans les annales de l'Académie royale d'histoire, vous possédez trois des poisons les plus rares de l'Ancien Régime.

La vieille dame se détourna de ses archives et leva les yeux au ciel.

— Nous possédions, cher monsieur, nous possédions ! Quel malheur...

— Que s'est-il passé ?

— Un vol. Un vol scandaleux ! Le gredin qui l'a commis devrait être pendu.

— L'a-t-on arrêté ?

— Hélas ! non !

— Les trois poisons ont-ils disparu ?

— Non. Un seul d'entre eux. Je suis précisément en train de rechercher la formule.

— Malgré son âge, était-il dangereux ?

— C'est bien possible : une substance toxique à base d'extraits de champignons vénéneux peut traverser les siècles.

Après un long entretien, Higgins parvint à convaincre Marlow de revoir le commissaire Martini, que le superintendant considérait comme la plus vile des créatures. Une fois la nouvelle situation clairement expliquée, Scott Marlow accepta d'assouplir sa position, à condition qu'il ne participât pas directement aux discussions. Pendant que Higgins négocierait, lui serait la conscience morale qui veillerait à ce que son collègue ne s'engageât point dans une voie déviée dont Sa Majesté pourrait rougir.

Bien que Martini et Marlow se fussent regardés

en chiens de faïence, l'atmosphère demeura cordiale. Le commissaire se forçait à être aimable.

— Déjà des résultats, mon cher collègue?

— Une investigation à mener : je souhaiterais connaître tous les cas de décès par empoisonnement, à Nice, depuis six mois.

— Rien de plus simple.

En possession de la liste, l'ex-inspecteur-chef élimina l'ensemble des victimes françaises et ne conserva qu'un seul empoisonné : un Anglais, Archibald Samson. Son dossier apporta de multiples précisions : âgé de soixante-dix ans, bardé de décorations militaires, excentrique, Archibald Samson résidait à Nice depuis dix ans mais ne se mêlait pas aux indigènes. Il fréquentait la bonne société britannique et se promenait chaque jour, en costume blanc, sur la Promenade des Anglais. Le vieil Archibald était mort à la suite d'une ingestion de champignons, parmi lesquels figuraient des lépiotes rosissantes et les si mal nommés gyromitres comestibles.

Samson vivait seul dans une grande villa de Cimiez. Ses héritiers, un couple de retraités, n'apprirent rien d'intéressants à Higgins.

— Demanderez-vous une exhumation? s'inquiéta Scott Marlow.

— Laissons ce malheureux reposer en paix. Nous en savons assez sur lui.

L'ex-inspecteur-chef n'en dit pas davantage. Ulcéré, Marlow se résolut à le questionner.

— Que sous-entendez-vous? Que cet Archibald a été assassiné?

— C'est fort probable. Nous marchons en terrain miné. Ce soir, vous resterez dans ma chambre, au *Westminster*.

— Redouteriez-vous... une visite nocturne?

— Qui sait? Plus nous progresserons, plus nous marcherons sur les pieds de gens très susceptibles. Je compte sur vous pour les ramener à la raison.

— Mais enfin, Higgins! Nous sommes en territoire étranger!

— Si vous êtes attaqué, défendez-vous. A la vie, à la mort. Les grandes valeurs n'ont pas de frontières.

— Si vous m'expliquiez...

— L'heure n'est pas aux explications mais à la méfiance. Cette charmante ville pourrait se transformer en guêpier. C'est pourquoi j'ai décidé de pénétrer au cœur de l'essaim.

— Je vous accompagne.

— Ne mettons pas tous nos œufs dans le même panier, recommande un proverbe français.

— Dites-moi au moins où vous allez.

— Je ne le sais pas moi-même. Si, à l'aube, je ne suis pas revenu, prévenez le commissaire Martini et recommandez-lui d'interroger Bertin Boyer jusqu'à ce qu'il parle.

Marlow éprouva un profond sentiment de satisfaction. Ainsi, l'ex-inspecteur-chef avait abouti à la même conclusion que lui.

— Démanteler un réseau de cette importance exige des forces de police nombreuses. Seul, vous courez au désastre. Je n'ai pas le droit de vous abandonner.

— Je n'ai pas le choix, mon cher Marlow. Que Scotland Yard nous protège.

CHAPITRE XVIII

Sans quitter des yeux la porte de la chambre, Scott Marlow tentait de calmer ses angoisses en dégustant à petites gorgées une bouteille d'Aberlour Glenlivet. Vaguement nostalgique, le superintendant attendait l'aube avec impatience. Higgins avait bien des défauts, qu'il ne fallait pas occulter, mais il restait un enquêteur d'exception et un ami fidèle. Le sentir en danger attristait Marlow qui, en ces terres lointaines, se sentait un peu perdu. Si l'ex-inspecteur-chef avait le mauvais goût de disparaître tragiquement, quel affront pour un superintendant du Yard : être contraint d'avouer un échec à un commissaire français!

Higgins avait conscience d'avoir un peu forcé la note mais, en se dirigeant vers l'angle de la rue de la Croix et de la rue Rossetti, il se demandait s'il avait vraiment noirci la situation. En ce vendredi soir, il lui fallait progresser dans un milieu inconnu et probablement fort hostile. Face à la petite porte brune, protégée par l'obscurité et le silence, il ressentit le danger comme une présence palpable.

En Orient, Higgins avait appris à maîtriser la peur. Tout était affaire de souffle et de concentration. Maîtriser ne signifiait pas annihiler. Malgré la crainte, en dépit d'une petite voix intérieure qui lui recommandait de retourner à son hôtel, Higgins sonna.

On fit coulisser un petit panneau métallique et on colla son œil dans l'ouverture pour observer l'arrivant.

— Que désirez-vous? demanda une voix en anglais.

— Passer une bonne soirée comme au pays, répondit Higgins avec le plus parfait accent oxfordien.

— Qui vous a indiqué notre club privé?

— Archibald Samson.

Le panneau métallique se referma. On entrouvrit la porte aux gonds bien huilés. Higgins entra et découvrit un homme masqué, tout habillé de noir.

— Notre ami est décédé. Vous a-t-il donné un mot de recommandation?

— J'ai beaucoup mieux.

— De quoi s'agit-il?

— Scotland Yard.

L'homme en noir, stupéfait, tarda à réagir.

— Pas un cri, ordonna l'ex-inspecteur-chef. Je ne suis pas venu seul. Au moindre remue-ménage, je fais fouiller votre établissement. Tenez-vous tranquille et tout ira bien.

La voix de l'homme en noir trembla.

— Qu'est-ce que vous voulez? Il y a ici des gens

très respectables, qui n'aimeraient pas être importunés. Si la police perturbe notre soirée, que deviendrons-nous?... Imaginez le scandale! Savez-vous bien que la meilleure société britannique se regroupe ici?

— D'une manière clandestine et illicite.

— Là où est l'Angleterre, là est sa loi.

— Le duc de Stonenfeld appartenait-il à votre cercle?

— Je n'ai pas le droit de vous répondre. De plus, je l'ignore. Chacun porte un masque qui lui garantit le plus parfait anonymat.

— Pourtant, vous connaissiez le nom d'Archibald Samson.

— Forcément... il était mon prédécesseur. C'est lui qui occupait le poste de portier. Le malheureux est mort d'un empoisonnement aux champignons. Une perte irréparable. Moi, je vous jure que j'ignore l'identité de nos membres.

— Je veux les voir.

— Vous y tenez vraiment?

— Préférez-vous la descente de police?

L'homme en noir ne résista plus.

— Bon. Suivez-moi.

Il guida Higgins dans un étroit couloir tapissé de grandes photographies consacrées à la Tour de Londres, au Tower Bridge, à Westminster et aux personnalités de la famille royale. Le passage aboutissait dans une mezzanine qui surplombait une piste de danse, où évoluaient une cinquantaine de personnes, toutes masquées et habillées de manière extravagante. Il y avait là un colonel de l'armée des Indes, un empereur de Chine, une princesse hindoue, un juge avec perruque et d'autres personnages inattendus qui s'adonnaient à la valse, au tango et à d'autres danses plus exotiques.

Higgins observa longuement chacun des danseurs. Il s'attarda aussi sur un angle de la pièce où une dizaine de joueurs étaient attablés autour d'une roulette. Des serveurs portant masque et turban se faufilaient dans les rangs de la joyeuse compagnie pour lui offrir champagne et whisky.

— Personne ne fait rien de mal, murmura le portier.

— Pourquoi se cacher, en ce cas?

— L'attrait de l'interdit... Nous ne possédons de licence ni pour le jeu ni pour l'alcool. Et puis la police ne nous autoriserait pas à promulguer un règlement réservant l'entrée de ce club aux seuls sujets de Sa Majesté.

Higgins observa encore. Il détailla chaque silhouette, espérant identifier un homme ou une femme mêlés de près ou de loin à l'affaire Stonenfeld. L'entreprise n'était pas simple; masque et costume modifiaient de manière considérable une apparence physique.

En proie à un violent débat intérieur, le portier s'écarta de Higgins. De la poche arrière de son pantalon, il sortit un couteau à cran d'arrêt que lui avait remis Archibald Samson. Il fit jaillir la lame, sans cesser de fixer le dos de l'homme du Yard. Ne devait-il pas éliminer ce gêneur? Etait-il réellement un inspecteur du Yard? Les premières émotions passées, le portier croyait de plus en plus à une autre version : un détective privé à la recherche de preuves pour faire condamner une épouse infidèle ou un mari volage.

Le portier avança d'un pas et leva le bras. Sa main tremblait.

— Posez ce couteau, ordonna Higgins. C'est une arme dangereuse. Vous pourriez vous blesser.

L'ex-inspecteur-chef ne se retourna pas. Il suivait les évolutions d'une superbe femme brune qui s'était déguisée en danseuse des mille et une nuits. Couverte de bijoux, voilée, le nombril à l'air et les pieds nus, elle entraînait son compagnon, un lord écossais en kilt, dans une gigue effrénée.

— Un duc anglais a été sauvagement assassiné. Ça ne vous suffit pas?

— Je n'y suis pour rien, gémit le portier. J'ai peur, vous comprenez... je tiens à ma place!

— Alors, soignez vos nerfs. *Gelsemium sempervirens* et *Chamomilla*. Avez-vous accueilli une femme portant une robe en mousseline verte, avec des points orange et une échancrure de dentelle rouge?

— Non... je m'en souviendrais. J'ai une excellente mémoire.

— Et une robe violette, jaune et noire, avec un décolleté dorsal très profond?

— Ah! ça, oui! C'était une cliente régulière.

— Elle ne vient plus?

— Voilà trois réunions qu'elle manque. Elle

avait pourtant un franc succès. Tout le monde voulait danser avec elle et lui offrir du champagne. J'ai rarement vu quelqu'un d'aussi gai et d'aussi entraînant.

– Son âge ?

– Impossible à préciser. Elle portait un masque et une voilette. De plus, ses cheveux étaient cachés par un ample foulard de soie. A en juger par son dynamisme, elle ne devait pas avoir dépassé la quarantaine.

– Un cavalier préféré ?

– Non. Elle ne parlait à personne. Elle venait seule, dansait, buvait et partait seule. Honnêtement, ce n'était pas le cas de tout le monde. Mais vous comprenez...

– Etes-vous certain de ne rien savoir d'autre au sujet de cette femme ?

– Je vous le jure sur la Victoria Cross.

D'instinct, le portier se mit au garde-à-vous. Inutile de l'interroger sur son passé.

– J'ai une bonne nouvelle pour vous, annonça Higgins : je retire mes troupes.

CHAPITRE XIX

Dans l'arrière-salle d'un café du port, Marc-Antoine Armani et Bertin Boyer étaient attablés devant leur troisième pastis, à l'heure de la sieste. Le premier aurait dû goûter un nécessaire repos dans sa villa qui dominait des champs d'œillets, et le second sur son bateau. Mais l'un et l'autre étaient soucieux, au point de tenir cette réunion d'exception.

— Il faut agir, estima Armani.

— Il y a déjà beaucoup de vagues, objecta Boyer.

— Ce n'est pas encore la tempête... Si on reste passifs, on sera balayés par la houle.

— Moi, il commence à me faire peur.

— Ton petit gars... il ne bougera pas?

— Non. Je l'ai bien en main. Il a trop à perdre. C'est l'autre qui m'inquiète.

— Il est coincé et prudent.

— De moins en moins prudent. Ce genre de type est capable de toutes les audaces.

— Tu plaides pour ma chapelle. Il faut donc l'arrêter avant qu'il ne remonte trop haut.

Bertin Boyer vida son verre. Ce qui était conclu était conclu.

— J'adore le champagne ! s'exclama Angela Paladi. Ce dom-pérignon n'est-il pas sublime ?

— Il l'est, reconnut Higgins.

La belle Italienne avait enlevé l'ex-inspecteur-chef à neuf heures du matin, au sortir de son petit déjeuner. En robe du soir, une bouteille de Dom Pérignon et deux flûtes dans un large sac à main en crocodile, elle l'avait entraîné sur la plage de galets pour y savourer les premières heures de la matinée.

— Le soleil, la douce chaleur d'automne, nous deux, seuls face à cette Méditerranée qui a vu naître l'humanité et qui a inventé le champagne ? N'est-ce pas merveilleux ?

Higgins ne réfuta pas les vues historiques d'Angela Paladi qui lui parurent pourtant fort contestables. Il songeait surtout à cet excès d'alcool qui nécessiterait une cure de *Chelidonium Majus*. Mais un gentleman pouvait-il refuser une invitation formulée avec tant de fougue ?

— Vous devriez quitter vos brumes du Nord, inspecteur. Un homme comme vous est fait pour ces terres brûlantes, l'azur éternel, des courses en mer et de folles randonnées parmi les pins !

— Je ne suis plus tout jeune, chère amie, et j'ai mes habitudes.

— Comment, plus tout jeune ? Mais regardez-vous ! Vous êtes dans cette force de l'âge qui fait fondre les vraies femmes, les passionnées, celles qui vibrent pour un amour fou et dépensent sans compter ! Viendrez-vous avec moi, dans ma Bugatti, pour nous enivrer de vitesse sur les routes de la Riviera ?

Higgins, assis en équilibre instable sur un gros galet, fit courageusement face.

— En temps ordinaire, j'aurais accepté votre séduisante proposition, mais je suis beaucoup trop occupé.

— Ah ?

— La mort de votre mari demeure une énigme.

— Ah !... Avez-vous retrouvé la piste du testament ?

— Rien à l'horizon. Mais d'autres portes s'entrouvrent.

— Lesquelles ? Une greluche, je parie ! Il a tout donné à n'importe qui !

— S'il n'y avait pas le secret de l'enquête, je vous en parlerais volontiers.

— A moi, vous pouvez tout dire !

— J'en suis sûr. Mais pour votre sécurité...

— Serais-je menacée ?

— Tant que Scotland Yard veillera sur vous, vous ne risquerez rien.

— Vous me soulagez, inspecteur... A vos côtés, je me sens tellement détendue, presque débarrassée du poids des mille malheurs qui ont oppressé ma pauvre existence. Si nous finissions ce champagne ? Dans une minute, il sera trop chaud.

Sur ce point, Angela Paladi voyait juste. Par politesse, Higgins continua donc à soumettre sa vésicule biliaire à rude épreuve.

— Avez-vous entendu parler des fiançailles rompues? interrogea-t-il.

La veuve contempla sa flûte avec tristesse.

— Pauvre Andrew... il n'a jamais eu de chance avec les femmes. S'il avait su m'aimer, je lui aurais donné un bonheur aussi violent que le Vésuve!

Higgins songea au début de l'*Ode au volcan* de Harriet J.B. Harrenlittlewoodrof :

Et la lave s'écoule en un chemin d'étoiles quand l'eau bleue s'assoupit en une vague molle.

— Connaissiez-vous ses fiancées?

— Moi? Quelle horreur! Des Anglaises à la peau blafarde et aux cheveux secs... Je ne suis pas jalouse, mais si l'une d'elles avait osé se présenter ici, je lui aurais tordu le cou.

Angela Paladi se fit plus douce.

— Accordez-moi une faveur, inspecteur... Dès que vous aurez trouvé le testament, prévenez-moi. Je suis sûre que mon très cher Andrew ne m'a pas oubliée.

Dès que Higgins pénétra dans le hall du *Westminster*, Scott Marlow se rua sur lui.

— Higgins, enfin! Où étiez-vous passé?

— Une promenade sur la plage.

— C'est bien le moment. Je reviens du congrès. Une nouvelle sensationnelle : Michelotti a été assassiné. Les spécialistes ne parlent que de ça.

Cette fois, c'est clair : un maniaque a décidé de terroriser Nice.

On remit un message à l'ex-inspecteur-chef : le commissaire Martini désirait voir au plus vite ses collègues.

— Nous allons en savoir davantage.

Quand Higgins et Marlow furent introduits dans le bureau du commissaire, Pierre Michelotti, la tête recouverte d'un pansement, se leva d'un bond.

— Regardez ça! cria-t-il en se tâtant l'occiput. On a tenté de me supprimer! Je vous avais bien dit qu'on voulait ma peau!

— Calmez-vous, ordonna Martini, et veuillez expliquer à mes collègues ce qui s'est passé.

Scott Marlow devait avertir au plus vite les présidents des comités restreints et des sessions de recherche, qui travaillaient d'arrache-pied sur un crime qui n'avait pas été commis.

— Sale histoire, dit l'abbé des fous. Je me promenais du côté de la ruelle Saint-Augustin, quand j'ai reçu un coup sur la tête. Heureusement, j'ai eu la force d'appeler au secours. Une femme est apparue à sa fenêtre. Elle a crié et le criminel s'est enfui.

— L'avez-vous identifié? demanda Higgins.

— Non... mais je sais qui c'est.

— Et voilà! conclut Martini. Il me répète ça depuis une heure.

— Je ne veux rien dire à la police niçoise. A Scotland Yard, c'est autre chose. Ils ne sont pas d'ici.

Le commissaire soupira. Les émotions aggravaient son diabète.

— C'est Bertin Boyer qui a tenté de me fracasser le crâne, sur l'ordre de Marc-Antoine Armani. Lui, il ne se mouille jamais. Chef des pénitents noirs, bon chrétien, charitable, aimé de tous, homme d'affaires respectable... mais cette crapule est la tête pensante du trafic d'alcool et de cigarettes qui défigure notre beau pays!

— Ne t'échauffe pas, recommanda Martini. C'est mauvais pour ta tête.

— J'ai mis longtemps à comprendre. Je croyais que Boyer tirait les ficelles, mais c'est un lâche. Je l'ai suivi, dans le Vieux Nice. Il y a rencontré Armani.

— C'est ta seule preuve?

— Elle ne vous suffit pas?

— Non, elle ne me suffit pas! Que Marc-Antoine considère que tu es un dégénéré de la garrigue, d'accord... et on peut parfois le comprendre. De là à en faire un assassin, hors de question!

— Bien sûr, puisque Bertin Boyer agit à sa place!

Martini frappa dans ses mains.

— Bertin, criminel! Bonne Mère... ai-je vécu si longtemps pour entendre de telles ragougnasses? Tu l'as bien vu, Bertin. Il est heureux, avec son bateau et son petit négoce. Tu crois qu'il prendrait le risque de t'escagasser pour finir sa vie à l'ombre, lui qui n'aime que le soleil? Tu rêves debout, mon petit Pierre.

— Et ma bosse, c'est un rêve ? Un cauchemar, oui ! Et un cauchemar qui vous fera passer des nuits blanches !

Pierre Michelotti, abbé des fous répudié et ex-membre du conseil municipal, sortit du bureau en claquant la porte.

CHAPITRE XX

— Il devenait urgent de nous entretenir d'une manière un peu plus sérieuse, dit Marc-Antoine Armani, avec ce sourire charmeur qui lui avait toujours réussi dans ses contacts d'affaires.

— Je le crois aussi, admit Higgins.

— Installons-nous au bord de la piscine, sous la treille. Nous y serons à l'aise pour discuter en toute sérénité.

La somptueuse villa du chef des pénitents noirs, construite au sommet d'une colline, dominait d'un côté ses terres et ses cultures florales, de l'autre la ville et la mer. Jouissant de plusieurs vues imprenables, la propriété d'Armani ajoutait un parfum de montagne aux agréments de la Méditerranée.

Une soubrette apporta deux anisettes. Higgins dut prendre garde à ne pas s'enfoncer dans les coussins moelleux d'un fauteuil de sieste. Pour arriver à la piscine, il avait traversé un jardin où pins maritimes, ifs et chênes-lièges rivalisaient de beauté. Genièvres, asphodèles et lavandes embaumaient encore l'atmosphère.

— Je crains d'être l'objet de multiples accusations, déplora Marc-Antoine Armani.

— Je le crains aussi. D'aucuns pensent que vous êtes sur le point de perdre la tramontane, et le nord par la même occasion.

— Ils se trompent. Je ne suis pas du genre à faire buisson creux. Les buts que je me fixe, je les atteins. Qu'on veuille me détruire et porter atteinte à ma réputation, rien de plus normal ; sous ce climat, la lutte entre les hommes n'est pas moins âpre qu'ailleurs.

— Pierre Michelotti pense que vous trahiriez vos meilleurs amis pour garder le pouvoir que vous avez acquis.

— Il se trompe. Je n'ai pas d'amis et je ne souhaite pas en avoir. Pas de pire faiblesse en affaires. Ne tournons pas autour du pot, inspecteur. Le commissaire Martini m'a téléphoné pour me tenir au courant de l'évolution de la situation. C'est un brave homme, proche de la retraite, et, contrairement aux apparences, un flic honnête. Il n'a jamais touché de pot-de-vin.

— Reconnaissez-vous être à la tête d'un trafic illicite d'alcool et de cigarettes ?

— Officiellement non, mais ce n'est un secret pour personne. Si je ne m'en occupe pas, il tombera entre les pattes d'un incapable. Il y aura des troubles, de la violence, du désordre et tout le monde sera pénalisé, à commencer par les Niçois eux-mêmes. Vous aviez bien Robin des Bois, en Angleterre ; un héros, mais aussi un hors-la-loi et un bandit de grand chemin. Moi, je suis le Robin des Bois de la Côte d'Azur. J'aime voir les gens heureux.

Higgins apprécia le goût de l'authentique anisette.

— Cuvée personnelle, commenta Armani. Je fais de beaux bénéfices légaux et illégaux, comme la plupart des hommes d'affaires responsables. A côté de l'Etat, qui organise le plus grandiose des rackets, je ne suis qu'un modeste amateur. Et n'oubliez pas que je m'occupe sans compter de mes pénitents.

— Vos justifications sont très émouvantes, M. Armani. Mais pourquoi me prendre pour témoin ?

— Parce que vous êtes un homme à part, M. Higgins. J'ai connu beaucoup d'individus. Ils se rangent tous dans des catégories bien définies. Pas vous. C'est pourquoi vous êtes dangereux, très dangereux. Si vous avez décidé d'étaler la vérité au grand jour, rien ne vous fera reculer. De Nice, il ne restera que des cendres.

— Vous me prêtez des pouvoirs que je ne possède pas. Je n'ai nullement l'intention d'anéantir cette ville.

Marc-Antoine Armani, chemise blanche entrouverte, se campa face à son domaine, verre d'anisette en main.

— Tout cela m'appartient et j'en suis fier. Je n'aimerais pas le perdre. Je le perdrai pourtant si vous persistez à relier le meurtre du duc Andrew de

Stonenfeld à notre petite contrebande. Il n'y a aucun rapport entre ces deux affaires.

— Ai-je dit qu'il y en avait un?

— Vous me suspectez, vous suspectez mon ami Boyer et son subordonné Louis Ricci. Nous sommes tous soumis à la question. C'est à notre réseau que vous vous attaquez, comme s'il était responsable de cet assassinat.

— Responsable, je l'ignore. Etranger, certainement pas.

Le propriétaire terrien se retourna, piqué au vif.

— Des preuves?

— De la meilleure eau : des indices matériels.

— Lesquels?

Higgins se contenta de sourire.

— La tactique de la terre brûlée, comme pendant la guerre de Cent Ans... Vous nous isolez et vous essayez de nous faire craquer. C'est de la persécution, inspecteur!

— Pas encore. Et vous n'êtes pas les seuls en cause.

— Qui d'autre? La bonne, Victoria? Ne vous moquez pas de moi. Pourquoi pas cette folle d'Italienne qui lui servait d'épouse! Vous croyez peut-être qu'une femme se serait amusée à écraser la tête du duc avec un boulet?

— S'il était déjà mort, pourquoi pas?

— Tout ça, c'est de la diversion! Vous concentrez vos attaques sur mon équipe afin de dénicher un bouc émissaire et de le jeter en pâture à la populace.

— Que pareille disgrâce me soit évitée.

Marc-Antoine Armani s'assit en face de l'ex-inspecteur-chef. Il parla d'une voix grave, émue.

— Louis Ricci est un brave petit gars et un carnavalier de grand talent. Ce n'est pas avec son art qu'il pourrait manger. La faim justifie les moyens. Je suis fier de lui. Bertin Boyer est la générosité personnifiée. Il est toujours prêt à rendre service et ne ferait pas de mal à une mouche.

— N'aurait-il pas essayé de fracasser le crâne de Pierre Michelotti ?

— Ça m'étonnerait beaucoup. Et quand cela serait ? Une bonne correction est parfois indispensable pour remettre les idées en place. Michelotti appartient précisément à la race des gens qui ont besoin d'être corrigés.

— Voilà des principes en désaccord avec la charité chrétienne.

— La charité chrétienne aux chrétiens. Michelotti ne la mérite pas.

— Si nous en venions à la véritable raison de votre invitation ? Après ces hors-d'œuvre, j'aimerais déguster le plat de résistance.

Le chef des pénitents noirs regarda Higgins d'un œil torve. Il se leva et déambula.

— Puisqu'il faut y venir... c'est justement Michelotti. Ce que je suis obligé de vous confier heurte ma conscience. Je n'ai pas l'habitude de cracher sur les gens, même sur mes ennemis. Mais vous me mettez le dos au mur. Je ne peux plus reculer.

Le dos tourné à l'homme du Yard, Marc-Antoine Armani commença sa confession.

— Je vous ai dit que Michelotti en savait long sur la mort du duc. J'espérais qu'il aurait le courage de vous révéler lui-même les faits. Puisqu'il n'en est rien et que mon honorabilité est en jeu, voici la vérité. Je suppose qu'il ne vous a parlé que d'un petit incident lors du carnaval ?

— En effet.

— Ce brigand aime pratiquer le mensonge par omission. J'ai été témoin de son altercation avec le duc. Il ne s'agissait pas d'un « petit incident ».

— Courage, M. Armani. Allez jusqu'au bout.

Le propriétaire terrien hésita. Il ne put continuer qu'au terme d'un effort considérable et visible.

— Michelotti surveillait le plus grand bal du carnaval, auquel participaient les sommités de la ville. Le duc est arrivé très tard, complètement ivre. Il gesticulait et chantait des chansons paillardes. L'abbé des fous a fait son travail. Il l'a gentiment pris par le bras et emmené vers une ruelle obscure. La scène m'a intrigué. Je les ai suivis. D'abord, j'ai cru que le duc allait s'asseoir et cuver son vin. Mais il s'est rebellé. Michelotti l'a repoussé. Stonenfeld s'est rebiffé. Michelotti était sans doute persuadé qu'il sortirait facilement vainqueur du duel. Il a dû déchanter. En dépit de son ivresse, le duc pratiquait à merveille la boxe anglaise. Il a ridiculisé Michelotti en l'envoyant au sol. David a terrassé Goliath. L'abbé des fous se montrait incapable d'assumer ses fonctions de maintien de l'ordre.

Comme s'il en avait trop dit, Armani s'interrompit.

— Le combat était-il terminé ?

— Non, inspecteur. Quand Michelotti s'est relevé, il tenait un couteau. J'ai vu la lame briller. Il a foncé sur le duc, qui s'est écarté au dernier moment et, d'un coup de pied, l'a désarmé. Puis Stonenfeld a éclaté de rire et s'est noyé dans la foule en chantant à tue-tête.

— Michelotti a-t-il remarqué votre présence ?

— Non. Comprenez-vous la gravité de la situation ? L'abbé des fous avait perdu la face.

— Personne n'était au courant.

— Si, inspecteur. Le duc Andrew de Stonenfeld.

Des nuages venant d'Italie obscurcirent le soleil, le temps tournait.

— Vous devriez peut-être examiner la collection d'armes blanches de Michelotti... Ça m'ennuie de connaître un assassin.

— Et le *mocoletto ?*

Marc-Antoine sourit à pleines dents.

— Il faut quand même que je vous laisse un peu de travail, inspecteur.

CHAPITRE XXI

Sous un ciel légèrement voilé, Higgins et Marlow empruntèrent de nouveau la rue Barillerie. Le superintendant commençait à s'habituer au Vieux Nice, à ses artères étroites et secrètes, à son charme tranquille qui échappait aux modes. Il ne tolérait pas, néanmoins, le linge aux fenêtres et un certain laisser-aller dans l'agencement des façades.

— Etes-vous en bonne forme physique, mon cher Marlow?

— Je n'ai pas le temps d'y songer. Avec ce congrès... Par bonheur, la catastrophe a été évitée. Les rapports rédigés sur l'assassinat de Michelotti n'ont pas été communiqués aux journaux. Mais pourquoi me demandez-vous ça?

— Michelotti pourrait être... un peu nerveux.

— Vous croyez à sa complicité?

— Nous verrons bien.

L'ex-inspecteur-chef frappa à la petite porte verte. Personne ne répondit, mais, en tendant l'oreille, Higgins perçut des bruits bizarres.

— J'ai l'impression qu'on se bat.

Marlow frappa du poing avec une belle ardeur. Cette fois, on ouvrit.

— M. Ricci... quelle surprise! Vous rendiez visite à M. Michelotti?

Le carnavalier semblait en état de choc. Sur son large front, une ecchymose. A la main, il tenait son chapeau blanc à moitié déchiré. Ses cheveux étaient en désordre et poussiéreux.

— Vous seriez-vous querellé, M. Ricci?

— Non, non... une explication un peu vive.

Le carnavalier fut brutalement poussé dans le dos par un Michelotti déchaîné.

— Dehors, saloperie!

Ricci fut propulsé comme un bouchon et Michelotti claqua la porte. Une intense expression de satisfaction s'inscrivit sur son visage.

— Ce minable était venu me soudoyer... Il me proposait de l'argent pour cesser la guerre contre Armani. C'est Boyer qui l'envoyait, bien sûr. Ils me méprisent au point de vouloir m'acheter! Tant que cet Armani sévira, le soleil ne brillera pas vraiment sur Nice.

L'abondante moustache noire de Michelotti frémissait d'indignation. Higgins avança dans la pièce aux murs noircis. Sur la table de bois, de nombreuses bougies étaient alignées.

— Je les teste, expliqua l'abbé des fous. Je ne désespère pas de retrouver mes fonctions pour le prochain carnaval.

— Si nous parlions du dernier?

Les larges épaules de Michelotti semblèrent crouler sous un poids trop lourd.

— Qu'y a-t-il de plus à en dire?

L'abbé des fous jeta un regard furtif en direction de la porte. Scott Marlow s'y adossa, de manière à tuer dans l'œuf toute tentative de fuite. Higgins s'assit sur l'un des bancs et regarda avec attention chaque *mocoletto*.

— Au fond de quel trou vous êtes-vous perdu, M. Michelotti?

— Je... je ne comprends pas.

— Allumez l'une de ces bougies et mettez-la au milieu de la table.

— C'est... une bougie de fête. Je ne peux pas.

— Préparons le carnaval ensemble. Allumez-la.

La main hésitante, l'abbé des fous obéit.

— Nous allons nous inspirer de cette lumière qui tremble et paraît fragile. Mais elle jaillit sans retenue et, malgré sa faiblesse, perce les ténèbres. C'est ce que j'attends de votre témoignage.

— Mon témoignage... sur quel sujet?

— Est-il exact que vous vous soyez battu avec le duc de Stonenfeld?

L'abbé des fous tenta de soutenir le regard de Higgins à travers la flamme. Les yeux de l'ex-inspecteur-chef ressemblaient à ceux d'un chat guettant sa proie. Pierre Michelotti renversa la bougie et l'éteignit.

— Ça suffit... Oui, je me suis battu avec cet Anglais. Il était ivre et dangereux. Ma fonction m'obligeait à le calmer.

— A le calmer, pas à le menacer avec un couteau.

— Un regrettable enchaînement de malentendus?

— Le duc vous a ridiculisé. Vous ne pouviez lui pardonner cet affront.

— Il y a du vrai... mais je n'avais pas l'intention de le tuer!

— Et pourtant, vous l'avez poignardé.

— Non! hurla Michelotti. Non... vous ne savez pas tout.

Pour libérer sa fureur, il frappa du poing sur la table. Deux bougies roulèrent au sol. Higgins les ramassa.

— Vous feriez mieux d'avouer, conseilla Marlow. S'il s'agit d'un accident, vous bénéficierez de circonstances atténuantes.

Incapable de contenir sa fureur, l'abbé des fous donna plusieurs coups de pied dans le banc.

— J'avais quand même le droit de me taire, non? Déjà assez de malheurs sur le dos... En plus, un crime que je n'ai pas commis.

— Un témoin pour vous innocenter?

— J'avais entraîné le duc dans une ruelle, à l'écart de la foule... Qui vous l'a dit, hein? Qui vous l'a dit?

Le poing levé, Michelotti contourna la table et menaça Higgins, qui ne remua pas le petit doigt. Scott Marlow n'aurait pas eu le temps d'intervenir tant l'action de l'abbé des fous avait été rapide. L'ex-inspecteur-chef se contenta de remettre les bougies en ordre sans accorder le moindre regard à son agresseur, qui resta figé.

— Face au duc, vous avez dû vous comporter de manière aussi ridicule.

— Je parie qu'Armani a tout vu... Il ne cesse pas de m'espionner !

— Nous nous sommes mal compris. Je n'évoquais pas un possible témoin de votre petite rixe, mais du meurtre.

— Je vous jure qu'il n'y a pas eu meurtre !

— Nieriez-vous l'existence du cadavre ?

— Cessez de vous moquer de moi. Non seulement je n'ai pas poignardé votre duc mais encore il s'est excusé !

Higgins tourna la tête vers son interlocuteur.

— Voici une indication intéressante... Pourriez-vous détailler ?

— Le duc est venu ici me présenter ses regrets. Il a reconnu qu'il était ivre, déploré son geste et promis de plaider ma cause auprès des autorités. Pourquoi me serais-je privé de mon meilleur appui, de l'homme qui m'aurait permis de garder mon poste ?

— Bien entendu, aucun témoin de cet entretien.

— Aucun... mais une preuve !

Pierre Michelotti triomphait.

— Oui, inspecteur, une preuve tangible : son cadeau de réconciliation.

— Eh bien, montrez-le-moi.

L'abbé des fous frappa le mur d'un nouveau coup de poing.

— Je ne l'ai plus. C'était un chef-d'œuvre, une magnifique montre avec des brillants... Mais aussi une petite fortune. J'ai besoin d'argent. C'est pourquoi je l'ai vendue.

— A qui?

— Je ne voudrais pas lui causer d'ennuis.

— Si vous ne désirez pas être soupçonné de mensonge, il vaudrait mieux nous donner son nom.

— Un commerçant arabe, dans la vieille ville. Il torréfie son café.

— Je le connais et je vérifierai.

— Vous le...

— Il existe une autre pièce dans cette maison?

— Ma chambre.

— Je veux voir l'endroit où est rangée votre collection d'armes blanches.

— C'est encore Armani, j'en suis sûr!

— Cette collection?

Scott Marlow vint se placer au côté de Michelotti.

— Vous irez jusque-là...

— Jusqu'à l'assassin du duc Andrew, promit Higgins.

Vaincu, l'abbé des fous prit une clé, cachée dans un vase, et ouvrit une porte blindée dissimulée derrière une tenture.

Sur des râteliers recouverts de tissus étaient alignés des dizaines de couteaux et de poignards. Chacun portait une étiquette avec la date du carnaval correspondant à son prélèvement parmi les effets d'un fêtard un peu trop exalté. Aucune case n'était vide.

— Il n'en manque pas un seul, déclara fièrement

l'abbé des fous. Certes, ils n'ont aucune valeur. Canifs, opinels, couteaux de cuisine, cutters... voilà mon misérable trésor, mais j'y tiens. Ce sont autant de souvenirs de carnavals réussis.

— Aucune arme ancienne?

— J'en ai ramassé une, il y a deux ans. Un bien bel objet, avec une croix gravée sur un manche de nacre.

— Qu'est-elle devenue?

— Je l'ai remise au directeur du carnaval de cette année-là.

— Son nom?

Pierre Michelotti savoura sa victoire, en regardant tour à tour Higgins et Marlow, et la manière d'un chasseur qui sonne l'hallali au terme d'une longue traque.

— Marc-Antoine Armani.

CHAPITRE XXII

C'est avec un plaisir certain que Higgins dégusta un café aromatisé dans l'échoppe aux volets verts, sise à l'angle de la rue Benoît Brunico. Le vieil Arabe mal rasé, coiffé de son éternel bonnet rouge et blanc, s'était surpassé. De son côté, Scott Marlow rassurait les congressistes sur le bon avancement de l'enquête.

— Je t'attendais, mon ami. Allah devait conduire tes pas vers moi. Ainsi le voulait le destin.

— Comment fais-tu pour obtenir un café de cette qualité-là ? Il contient tous les parfums de l'Orient.

— Voilà l'unique secret que je ne te révélerai pas. Le reste, nous pouvons en parler.

— La montre aux brillants, par exemple ?

— Qu'Allah te protège ! Tu as bien choisi. Une si jolie pièce d'orfèvrerie... C'est un homme trapu, au front bas, aux épaules larges et à la moustache noire qui me l'a vendue.

— Pierre Michelotti, l'abbé des fous.

Le torréfacteur opina du chef.

— La possèdes-tu encore ?

— Je l'ai revendue un bon prix.

— Accepterais-tu de me décrire l'acheteur?
— Le duc Andrew de Stonenfeld.

Louis Ricci aborda Higgins dans la rue Rossetti. Il avait changé de chapeau et fumait une pipe en terre.
— C'est grave, inspecteur. Je voudrais vous parler sans délai.
— Marchons, M. Ricci.
Très animée, la vieille ville ignorait avec gaieté l'automne qui tentait de pénétrer dans les ruelles aux balconnets fleuris. Un vent léger dissipait les nuages.
— Un détail m'est revenu en mémoire. Un détail terrible... qui m'empêche de dormir.
— L'insomnie est la porte ouverte à tous les maux. En libérant votre conscience, vous retrouverez la santé.
Louis Ricci regarda derrière lui.
— Craindriez-vous d'être suivi?
— Un peu. Michelotti est un individu détestable et dangereux. Vous l'avez constaté vous-même.
— Un homme qu'on tente d'acheter a parfois des réactions salutaires.
— L'acheter, moi? Je lui proposais simplement un petit travail de la part de M. Boyer. On sait bien qu'il est en difficulté, Michelotti. Entre Niçois, on se serre les coudes. Puisqu'il ne veut rien entendre et qu'il me traite comme un chien alors que j'étais venu en ami, je ne peux plus me taire.
Les deux hommes empruntèrent la rue Droite puis la rue de Jésus. Quelques voitures de livraison disputaient aux piétons l'étroit espace. Higgins ne regarda

pas son interlocuteur, attendant que vinssent les mots décisifs.

— Savez-vous ce qu'est un *mocoletto*, inspecteur?

— Une bougie de carnaval.

— C'est cela... On en remet une à chaque participants, lors des festivités.

— Elle incarne notre destin et, à aucun prix, elle ne doit s'éteindre.

— C'est ce que prétend la légende. Moi, j'y crois. Comme les vieux Niçois. Comme Michelotti.

Un doberman leur barra le passage. Effrayé, Louis Ricci recula. Higgins caressa la tête de l'animal, qui leva vers lui des yeux soumis.

— Venez, M. Ricci. Il ne vous fera aucun mal.

Le carnavalier, peu rassuré, longea le mur

— Vous apprivoisez les bêtes féroces?

— Si nécessaire. Elles sont moins cruelles que les humains et ne mentent jamais.

— Vous m'accusez de mensonge?

— Vous n'avez encore rien dit.

Louis Ricci mâchait sa pipe plus qu'il ne la fumait

— Pendant le carnaval, révéla-t-il, on tente d'éteindre le *mocoletto* de son voisin, avec un mou choir ou un plumeau emmanché au bout d'un bâton. Bien entendu, il faut aussi préserver le sien de toute atteinte, sauver cette flamme précieuse des agres seurs.

— Avez-vous réussi?

— Plus ou moins... Il ne s'agit pas de moi mais de Michelotti. Il a commis un acte ignoble, pendant le dernier carnaval. J'ose à peine...

— Soyez audacieux. La fortune vous sourira.

— Michelotti avait gravé une bougie au nom du duc de Stonenfeld. Il l'a allumée, soufflée et piétinée. Une vraie condamnation à mort. Après ça, le duc ne pouvait plus s'en sortir.

Croyez-vous à la magie noire, mon cher Marlow?

— Higgins, vous plaisantez?

— Pas du tout. Je connais le nom de l'assassin.

— Enfin... De qui s'agit-il?

— Le *mocoletto*.

— Vous voulez dire...

— Une petite bougie qui contient l'âme de l'être. En étouffant sa flamme, on supprime son existence. Du vaudou niçois, en quelque sorte.

— C'est complètement absurde! Je vous assure que l'heure n'est pas aux plaisanteries.

— J'en suis bien persuadé. De nombreux assassins ont agi de cette manière, avec plus ou moins de succès. Ce pourrait être une piste très sérieuse.

Le superintendant pesta intérieurement. Higgins retombait dans ses pires travers. Lorsqu'il ne parvenait pas à discerner la vérité d'une manière rationnelle, il en appelait à un mysticisme suranné ou à d'obscures croyances dont la police scientifique avait montré l'inanité.

— Dans le cas présent, ajouta-t-il, la magie noire n'a probablement joué aucun rôle.

Scott Marlow soupira.

— Le congrès est en ébullition. Certains spécialistes menacent de se répandre dans Nice et de chasser le coupable. Mais il y a plus grave.

— Vous me semblez inquiet, mon cher Marlow
— J'ai mes raisons. La Couronne est indisposée. Une arrière-petite-cousine de la reine, liée aux Stonenfeld par une branche qui remonte aux croisades, estime que Scotland Yard doit étouffer le scandale au plus vite, que le drame ait eu lieu en France ou ailleurs. Bref, nous avons la tête dans le sac. Et il y a plus gênant encore.
— Quelqu'un aurait-il identifié l'assassin avant nous ?
— Par moments, je le souhaiterais. Non, c'est le commissaire Martini. Il est venu me voir, à la sortie de la session du congrès sur la postérité de Jack l'Eventreur.
— Regrettait-il d'avoir manqué les débats ou redoutait-il une réincarnation niçoise de ce monstre sanguinaire ?
— Ni l'un ni l'autre. Il voulait m'apprendre, avec le plus grand ménagement, que nous serions bientôt expulsés à la suite d'une plainte déposée contre nous. Pour éviter toute friction, mieux vaudrait regagner l'Angleterre en simples touristes.
Le superintendant redoutait une réaction violente. Higgins n'était pas homme à se laisser expulser sans son consentement.
— Qui a déposé cette plainte ?
— Marc-Antoine Armani.
— Admirable. Nous ne pouvions espérer mieux

CHAPITRE XXIII

Scott Marlow, étonné, découvrit la somptueuse villa du chef des pénitents noirs. Certes, le jardin ne l'attirait guère ; la piscine, moins encore. Quant à la vaste demeure de quinze pièces écrasée par le soleil, elle n'avait pas le charme inégalable des vieilles bâtisses londoniennes et l'indispensable modernité de son bureau du Yard, d'où il n'aurait jamais dû sortir.

Marc-Antoine Armani, drapé dans un superbe costume croisé pied-de-poule, fit à ses hôtes l'honneur du grand salon, où la soubrette servit un Old Chimney's dans des verres en cristal.

— Puisque nous nous voyons pour la dernière fois, autant bien vous traiter. Ça doit vous faire une drôle d'impression d'aller à Canossa.

— Ni le superintendant ni moi-même ne ressemblons à l'empereur des Germains, Henri IV, et vous ne présentez aucune analogie avec le pape Grégoire VII. De plus, nous ne venons pas implorer votre pardon.

— Ne soyez pas désagréable, inspecteur.

J'admets que vous soyez déçu, mais je vous avais prévenu. Nice est une ville calme qui n'aime pas les drames.

— L'assassinat du duc n'est pas une bluette.

Le visage jovial du propriétaire terrien se ferma.

— Ce n'est pas à vous de juger de la gravité des événements qui ont lieu ici. Laissez-nous régler nos affaires entre Niçois.

Marlow aurait bien goûté à l'alcool qui chauffait stupidement dans son verre, mais la tournure prise par l'entretien l'en dissuada.

— Vous avez déposé une plainte contre nous.

— Exact. Faites vos valises et décampez. L'air de la région devient malsain pour vos poumons. Privés de smog, vous risquez d'étouffer.

— A votre place, conseilla Higgins sur un ton tranquille, je retirerais cette plainte.

Marc-Antoine Armani éclata d'un rire un peu forcé. Son visage, légèrement congestionné, trahissait une certaine inquiétude.

— Des menaces? Elles pourraient vous coûter cher!

— Nous respectons l'inculpé. Jamais de mises en garde injustifiées.

— L'inculpé? A qui faites-vous allusion?

— Dans cette pièce, je ne vois que vous pour tenir ce rôle.

Irrité, Marc-Antoine Armani vida son verre cul-sec.

— Vos dernières rodomontades, inspecteur! Vous les regretterez, croyez-moi.

— Ni regrets ni remords : telle est l'une de mes devises.

Marlow se demanda si le chef des pénitents noirs n'allait pas jeter son verre au visage de Higgins. Mais le regard perçant de l'ex-inspecteur-chef le lui interdit.

— Je ne comprends pas la médiocrité de votre tactique, M. Armani. Vous êtes un bien mauvais général. Tenter de protéger ses troupes en oubliant de se préserver soi-même est une erreur impardonnable lorsqu'on occupe votre position.

Le propriétaire terrien recula, comme s'il se retirait d'un champ de bataille devenu périlleux.

— Qu'est-ce que vous sous-entendez?

— Ce que vous avez vous-même mis en lumière : la collection d'armes blanches de Michelotti. Il n'y manque pas un seul couteau. Des pièces modernes, sans intérêt. L'unique objet de valeur, il ne l'a pas conservé et vous l'a donné. Un poignard au manche de nacre orné d'une croix.

Armani parut en proie à une intense réflexion.

— Ce n'est pas faux... J'avais oublié cette histoire.

— Où se trouve-t-il?

— Ça vous intéresse à ce point?

— Plus encore que vous ne le supposez.

— J'ai dû le ranger avec d'autres vieilleries dans ma maison du Vieux Nice, rue de la Poissonnerie.

— Nous vous y accompagnons.

— Comment... tout de suite?

— Toutes affaires cessantes.

— On peut attendre demain.

— On ne peut pas. Si nécessaire, j'appelle le commissaire Martini et, croyez-moi, il fera diligence.

— Bon... permettez-moi d'annuler un rendez-vous et nous y allons.

— Je ne vous le permets pas.

— Qu'est-ce que ça signifie ?

— Que vous pourriez alerter un complice. Un taxi nous attend dehors.

Si Armani n'avait rien à se reprocher, estima Scott Marlow, il aurait mis dehors les deux policiers. Au contraire, il devint doux comme un agneau, se cala au fond du taxi et ne prononça plus un seul mot jusqu'à la rue de la Poissonnerie.

Les trois hommes grimpèrent l'escalier d'un bon pas, Higgins devant, Armani au milieu et Marlow derrière. Dans la pièce sombre et haute de plafond étaient toujours entreposés divers objets appartenant à la confrérie des pénitents noirs. Higgins, qui avait croqué un plan en indiquant l'emplacement des cagoules et des chapelets, constata que rien n'avait été déplacé.

— Où cachez-vous vos reliques ?

— Derrière ce tableau.

Armani fit pivoter une peinture moderne fixée au mur sur un seul côté. Elle représentait un pénitent en prière devant la Vierge de miséricorde. Il découvrit deux étagères profondément creusées dans le mur, sur lesquelles étaient disposés des bracelets, des crucifix et des pots en étain.

— Il me faut de la lumière.

Scott Marlow alluma une bougie et la donna à Marc-Antoine Armani, qui explora nerveusement son trésor. D'un revers de main, il fit tomber plusieurs babioles.

— Je... je ne comprends pas. C'est incroyable.

— Un ennui?

— Le poignard... il était là, avec le reste!

— On vous aurait donc volé l'arme du crime.

CHAPITRE XXIV

— Vous avez mauvaise mine, commissaire, observa Higgins.

— Le diabète et les soucis. Si ce duc anglais avait pu mourir ailleurs!

— Sauf analyse erronée, il n'a pas souhaité ce genre de disparition.

— Pardonnez-moi, je m'égare... mais en trente ans de carrière, je n'ai jamais eu un crime pareil sur le dos!

— C'est une question d'habitude, mon cher collègue.

Les nerfs de Martini se tendirent.

— Il n'y aura quand même pas d'autre meurtre?

— J'aimerais pouvoir vous le garantir.

— Nous devons tout faire pour empêcher cette catastrophe!

— Nous y travaillons d'arrache-pied.

— C'est vrai, soupira Martini, c'est pourtant vrai... et nous ne progressons pas. Heureusement, Armani a retiré sa plainte.

Confronté à l'arme du crime, le chef des pénitents

noirs l'avait reconnue sans difficultés. C'était bien l'objet ancien offert par son vieil ennemi Pierre Michelotti. Dans une déposition passionnée, ponctuée de gestes théâtraux, il avait proclamé son innocence absolue et juré à plusieurs reprises qu'une main criminelle lui avait dérobé le poignard. Le commissaire Martini avait laissé Marc-Antoine Armani en liberté. Pourquoi mettre en doute sa sincérité? Ni Marlow ni Higgins ne s'étaient opposés à cette décision.

— A votre avis, inspecteur, qui est coupable?

— Existe-t-il une seule réponse?

Le regard de Martini vacilla. Il se demanda si la pensée policière anglaise lui était vraiment accessible.

— Je vois, je vois... Prononcerez-vous quand même un nom?

— Donner un nom pourrait occulter la vérité. Attendons que les matériaux soient tous introduits dans le fourneau de l'alchimiste et que la matière première se purifie d'elle-même.

Scott Marlow eut envie de se voiler la face. Higgins donnait une déplorable image de Scotland Yard en utilisant des images hermétiques sans aucun rapport avec l'affaire criminelle en cours.

— La matière première? répéta Martini, interloqué.

— Je veux dire : le mobile du crime. Car là se situe notre point faible : nous l'ignorons encore.

— Vous n'auriez pas une petite passion, même illicite? Ça m'ennuierait beaucoup moins que la participation de votre duc à un trafic commercial. Notre renommée...

Le superintendant approuva. Sa propre réputation se liait d'ailleurs à celle de Nice. Londres s'irritait. Paris grognait. Le congrès des criminologues déprimait.

— Sans vouloir vous importuner, mon cher collègue, que comptez-vous faire dans l'immédiat?

— Revoir le duc.

— Mais... il est mort!

— Sa maison vit : c'est une partie de lui-même. Aussi le dialogue reste-t-il possible.

Higgins quitta le bureau. Marlow adressa un sourire gêné au commissaire français.

L'ex-inspecteur-chef prit soin de visiter la demeure niçoise des Stonenfeld juste après le déjeuner, afin d'éviter l'heure du thé. Angela Paladi était sortie, mais Victoria Pendleton, comme il se devait, fit les honneurs de la villa à ses hôtes. Toujours très stricte dans son tailleur gris perle, elle ouvrit toutes les pièces. Meubles recouverts de housses, tableaux masqués par des voiles noirs, fenêtres closes donnaient à la grande bâtisse une allure désabusée. Une poignante tristesse se dégagea d'un parcours silencieux, rythmé par les grincements du parquet.

L'ex-inspecteur-chef ne prit aucune note. Pour Marlow, cela signifiait qu'il n'avait repéré aucun indice susceptible d'éclaircir le mystère. Victoria Pendleton, à l'issue de ces décevantes investigations, proposa aux deux policiers de s'asseoir dans les fauteuils du salon victorien.

— A cette heure, puis-je vous offrir un alcool blanc?

— Nous devons garder l'esprit clair. J'aimerais vous poser quelques questions.

— Je suis à votre disposition.

Très droite, élégante malgré son austérité, la secrétaire particulière du duc fascina de nouveau le superintendant. Bien qu'elle ne possédât pas la beauté sereine d'Elisabeth II, Victoria Pendleton bénéficiait de cette grâce imperceptible des Anglaises éduquées selon les principes les plus stricts.

— Pourquoi le duc a-t-il rompu ses fiançailles ?

— Je croyais vous l'avoir laissé entendre, inspecteur : des intrigantes qui en voulaient à sa fortune. Par bonheur, Andrew de Stonenfeld n'était pas crédule au point de tomber dans leurs filets.

— Aimait-il les bijoux ?

Victoria Pendleton eut un sourire à la fois amusé et distant.

— C'était son unique vice, inspecteur. Comment l'avez-vous découvert ?

— Par le plus grand des hasards. Eprouvait-il un goût prononcé pour une montre à brillants ?

— Il en possédait une qu'il appréciait tout particulièrement, mais il l'avait perdue lors du dernier carnaval. Il la regrettait d'autant plus que son père la portait volontiers. Or, le duc témoignait d'un très grand respect pour les trésors familiaux. Ce n'était malheureusement pas le cas de l'Italienne. Combien de porcelaines a-t-elle cassées ? Combien de pièces de vaisselle a-t-elle jetées contre les murs de la cuisine ? J'ai connu l'enfer : des disputes interminables, des cris de furie, des menaces de mort.

— Des menaces de mort ? s'étonna Scott Marlow.

— Peut-être des paroles en l'air, prononcées sous le coup de la colère...

Le superintendant jeta un œil au portrait de la reine Victoria. Cette vision lui donna du courage.

— Il faut creuser cette piste, estima-t-il.

— Pour être objective, poursuivit-elle, je dois avouer que le duc n'était pas moins violent que cette Italienne. Il lui promettait de l'étrangler, elle de le couper en morceaux. Quelle déchéance... Le jour où elle a quitté cette maison, j'ai respiré à nouveau.

— Pourtant, rappela Higgins, le divorce n'a pas été prononcé.

— Lui voulait le divorce, elle le refusait. C'est une catholique convaincue. Le duc aurait eu besoin de mon aide mais je ne pouvais la lui accorder.

— Qu'est-ce qui vous en empêchait ?

— Le sens moral, inspecteur. Mademoiselle Paladi a eu deux ou trois amants qui avaient l'impudence de téléphoner ici. Il eût été facile d'accumuler les preuves de son indignité et de les offrir au duc. Je n'ai pu me résigner à cette bassesse.

— Ces relations extra-conjugales...

— De simples passades. Des garçons très jeunes qu'elle abandonnait au gré de sa fantaisie.

— Votre noblesse de cœur vous honore, déclara Marlow avec gravité.

Higgins consulta ses notes.

— Andrew de Stonenfeld était moins rigoureux que vous sur le chapitre de ses relations. Vous avez déjà évoqué le cas de Marc-Antoine Armani, qui implique des contacts avec d'autres personnages douteux. Bertin Boyer, Louis Ricci : ces noms vous sont-ils familiers ?

— Familiers... non. Mais il me semble que le duc les a prononcés une ou deux fois.

— Ségurane Guini ?

— Jamais entendu parler.

— Pierre Michelotti ?

— Ce nom m'est inconnu.

— Aucun des hommes que j'ai cités n'était l'amant d'Angela Paladi ?

— Pas que je sache.

— Nous tournons en rond, avoua le superintendant. Qui détestait ce malheureux duc au point de lui infliger plusieurs morts successives ? Voilà la clé de l'énigme. A commencer par ce boulet de canon.

Victoria Pendleton blêmit.

— Un boulet de canon ? Quel rapport a-t-il avec le crime ?

— Il s'agit sans doute d'une des armes utilisées par l'assassin.

— Mon Dieu...

La secrétaire particulière essuya une perle de sueur avec un mouchoir en dentelle.

— Parlez, mademoiselle, la pria Higgins.

— Le père d'Angela Paladi était un collectionneur de boulets de canon historiques. Ils passionnaient l'Italienne mais le duc refusait de les entasser ici.

CHAPITRE XXV

Malgré son insistance, Marlow ne parvint pas à convaincre Higgins d'arrêter sur-le-champ Angela Paladi, dont la culpabilité devenait pourtant évidente. A ses arguments de stricte police, l'ex-inspecteur-chef répondit par une indifférence polie et la nécessité de réfléchir quelques heures avant de prendre une décision aussi grave. Seule une promenade silencieuse lui permettrait de méditer à bon escient.

Le superintendant se méfia. Il se demanda si la pulpeuse Italienne n'avait pas réussi à séduire son collègue au point de lui faire oublier ses impératifs professionnels. Beaucoup d'hommes de l'âge de Higgins succombaient à ce genre de femme fatale et compromettaient gravement leur carrière. Marlow devait à une vieille amitié de ne pas abandonner l'ex-inspecteur-chef à une pente aussi glissante. Aussi prit-il Higgins en filature lorsqu'il sortit de l'hôtel *Westminster* et se dirigea sans hâte vers le marché aux fleurs.

Il s'arrêta devant l'étal de Ségurane Guini, qui

vendait une dernière botte d'œillets avant de prendre un peu de repos.

— Bonjour, mademoiselle.

— Bonjour, inspecteur. Vous désirez quelques fleurs ?

— M'accorderiez-vous un entretien dans un endroit paisible ?

— Est-ce important ?

— Très important.

— En ce cas, d'accord. Sainte-Réparate ?

— Elle me convient à merveille.

Marlow vit Higgins partir, aux côtés de la jeune femme, en direction de la plus célèbre église du Vieux Nice. Il voulait donc la protéger, elle aussi, et la soustraire aux rigueurs de la loi. Le superintendant avait bien entendu, voilà plusieurs années, quelques rumeurs qui dépeignaient l'ex-inspecteur-chef comme un bourreau des cœurs. Jusqu'à ce jour, il n'y avait pas cru. Placé devant le fait accompli, comment ne pas s'interroger ?

Sur la façade de la baroque Sainte-Réparate, veillaient des personnages rares tels que saint Bassus avec son bâton ou saint Syagrius avec sa crosse. Edifié en 1075, reconstruit et agrandi au dix-septième siècle, le lieu saint, à l'élégance indéniable, trônait au fond de la place Rossetti, dont le centre était occupé par une fontaine que dominait un petit obélisque couronné d'une boule de pierre.

C'était le plus vaste espace dégagé de la vieille ville, le seul largement ouvert aux rayons du soleil. Patronne de Nice, sainte Réparate méritait bien cet honneur. Martyrisée au troisième siècle en Palestine, elle avait réussi à traverser la Méditerranée, guidée par une colombe, pour trouver un repos éternel dans la baie des Anges.

A l'intérieur de l'église se développait un exubérant décor baroque : rinceaux, guirlandes, chérubins. Le stuc doré abondait. Retables, autels de marbres, boiseries, statues de bois doré affirmaient la richesse de l'édifice. Ségurane et Higgins s'assirent côte à côte, près de la chaire en marbre du prédicateur.

Scott Marlow demeura près de l'entrée. Il ne pouvait pas entendre la conversation mais, au moins, il ne perdait pas Higgins de vue. Dieu seul savait quelles surprises l'ex-inspecteur-chef pouvait encore lui réserver ! Et Dieu, justement, était le propriétaire de l'endroit.

— Ici, Ségurane, sous le regard de la sainte qui protège votre ville, vous ne continuerez pas à me mentir. Même par omission.

La jolie brune croisa sagement les mains devant elle.

— Je n'ai rien à vous dire.

— Quand votre oncle, Bertin Boyer, vous remet des petits paquets, de quoi s'agit-il ?

Elle sursauta.

— Vous m'espionnez ?

— Répondez-moi, je vous en prie. Je ne cherche nullement à vous nuire.

Ses lèvres se serrèrent. Un instant, Higgins crut qu'elle allait s'enfuir. Mais la solennité de l'église la troublait autant que son calme la rassurait.

— Ce n'est pas un secret, après tout... Mon oncle est un homme très généreux. J'aime les bijoux et je ne gagne pas assez pour m'en offrir. Parfois, il me fait une surprise.

— Il n'y a vraiment rien d'autre, dans ces paquets ?

— Sur la tête de sainte Réparate, je vous jure que non !

La jeune fille avait haussé le ton. Choquée, une vieille dame en prières se retourna. Higgins, soulagé, sourit intérieurement. L'une des incertitudes de l'enquête venait de se dissiper.

— Etes-vous satisfait, inspecteur ?

— Non, mademoiselle. J'attends davantage de votre sincérité.

Emue jusqu'aux larmes, la marchande de fleurs tourna son visage vers Higgins.

— Ne me suppliciez pas.

— Je cherche la vérité sur la mort d'un homme de cœur. Cette vérité dont vous détenez une partie. Cette vérité que vous ne pouvez pas taire plus longtemps sans offenser Dieu et sainte Réparate... et sans vous renier.

— Je... je n'ai pas le droit. C'est mon secret.

— Il deviendra mensonge si vous le conservez par-devers vous. Sous cette voûte sacrée, promettez-moi de m'accorder votre confiance, toute votre confiance, et de répondre à mes questions. J'ai besoin de votre aide et vous avez besoin de la mienne. Concluons un pacte, voulez-vous ?

Ségurane s'agenouilla sur un prie-Dieu, joignit les mains et ferma les yeux.

Higgins s'en tint à une attitude moins confessionnelle. Scotland Yard se devait de garder une prudente réserve sur l'existence d'un Seigneur suprême. En l'occurrence, il valait mieux l'implorer discrètement. Si la jeune femme refusait de coopérer, l'ex-inspecteur-chef ne sortirait pas l'impasse.

Ségurane se releva avec beaucoup de grâce et marcha à pas lents vers la sortie de l'église.

— Votre décision ? s'enquit Higgins.

— Je vous dirai tout, mais pas ici. Il me faut de la lumière et du soleil. Sinon, vous ne comprendriez pas. Allons au sommet de la colline.

L'homme du Yard n'aurait pas mieux choisi. A cet endroit, le vent d'azur dissipait les artifices.

Scott Marlow se dissimula derrière un pilier. Il vit passer le couple suspect et le suivit à bonne distance.

Il ne revint pas vers le centre de Nice et la Promenade des Anglais. Dans quelle aventure l'entraînaient-ils ? Lui qui avait horreur de marcher pressentit que les prochaines heures seraient éprouvantes.

CHAPITRE XXVI

Le soleil d'automne illuminait le quai Rauba-Capéu, l'« enlève-chapeau », où soufflait parfois un vent violent. Succédant au quai des Etats-Unis et taillé dans la roche même du cap, le Rauba-Capéu conservait une vague allure de sauvagerie, rappelant les incursions de quelques pirates sédentarisés depuis longtemps. Il servait de piédestal à l'impressionnante colline du château, le plus beau site niçois, vers lequel montaient Higgins et Ségurane Guini. Au sortir de la rue Honoré Ugo, ils avaient admiré la belle maison des « petites sœurs des malades », puis s'étaient engagés dans un escalier bordé de figuiers qui débouchait dans une ruelle où poussaient des lauriers-roses. Ils longèrent le cimetière israélite et se perdirent dans les jardins de l'acropole, où régnaient aloès, cactus et agaves. Au-dessous de la plate-forme culminant à quatre-vingt-douze mètres de haut, les eaux de la Vésubie, réunies en une cascade artificielle, scintillaient dans la lumière.

— Face à l'église Saint-Augustin, rappela Higgins,

il existe un monument dédié à Catarina Securana, « eroina nissarda ». Lui devez-vous votre prénom?

— Bien sûr, répondit la jolie brune avec fierté. Le 15 août 1543, elle a pris la tête de la résistance contre les Turcs dont la flotte bombardait Nice. Avec l'appui de François Ier, l'armée de Barberousse a tenté de prendre d'assaut la ville haute. Catherine s'est jetée sur un officier turc qui franchissait une brèche, l'a assommé d'un coup de battoir et s'est emparée de l'étendard ennemi. Grâce à cet exploit, les Niçois ont repris courage et repoussé l'assaillant.

Que le combat au battoir fût une réalité historique, Higgins n'en doutait point. Lors d'un précédent séjour à Nice, il avait recueilli néanmoins une version légèrement différente. Surnommée *la Maufaccia*, « la femme mal faite », Catherine Ségurane aurait utilisé, lors de la défense de la tour Sincaïre, une arme d'une autre nature, en dévoilant un postérieur dont la vue aurait mis en fuite l'armée ennemie. L'énigme n'avait jamais été abordée en face par les historiens. Quelles caractéristiques exceptionnelles possédait-il pour produire un effet aussi dissuasif? Dans ce domaine, la marchande de fleurs ne ressemblait certainement pas à sa glorieuse ancêtre.

La montée n'était pas trop rude. Higgins et Ségurane marchaient sans hâte. Ils savouraient les perspectives de plus en plus belles qui s'offraient à eux au fur et à mesure de leur ascension. A leurs pieds s'étendait le Vieux Nice, d'où émergeait le dôme coloré de Sainte-Réparate.

Ils firent une halte sur une avancée en demi-cercle fermée par un balcon de pierre.

— La légende affirme que le nom de Ségurane écarte les sorts et les orages, guérit les maladies et anéantit le mauvais œil.

— Les légendes sont parfois bien éloignées de la réalité, inspecteur. Regardez cette végétation, ce site paisible, cette colline où tout est douceur... Pourtant, non loin d'ici, un homme a été sauvagement assassiné.

— Les pires situations évoluent. Autrefois, ce petit paradis n'était-il pas voué à la guerre et à la violence?

Quand le comte Amédée de Savoie avait pris possession de Nice, en 1388, la cité était devenue le débouché maritime de son Etat. Aussi avait-il rasé l'ancienne ville haute pour la remplacer par un château fort, chargé de protéger le nouveau port savoyard. En 1706, pendant la guerre de Succession d'Autriche, Louis XIV avait ordonné de démanteler la puissante forteresse, dont la seule existence contrariait sa souveraineté. Ainsi, l'œuvre du destructeur avait-elle été détruite. De ces malheurs successifs était né un bonheur inattendu : la cité, tassée sur elle-même, rébarbative à l'ombre de ses remparts, était devenue ville ouverte et accueillante aux voyageurs qui, venant des froides contrées de l'Europe du Nord, avaient commencé à goûter son climat et sa beauté.

Au sommet de la colline, sommeillant parmi les pins maritimes et les hêtres, s'étalaient les maigres vestiges de la cathédrale médiévale de Notre-Dame, emprisonnée dans le château des ducs de Savoie, dont il ne restait rien. Quelques bases de colonnes, le souvenir des fonts baptismaux, des ombres de chapelles faisaient bon ménage avec les herbes folles où s'étaient à jamais perdus les chants et les prières.

Les lèvres de Ségurane s'animèrent mais demeurèrent muettes. Elle avait tenté de parler, d'avouer son secret, mais s'était rétractée au dernier moment. Higgins, paternel, se contenta de lui sourire. Elle seule possédait la clé d'un drame qu'elle vivait avec une touchante intensité. La heurter eût été cruel et maladroit. Mieux valait ignorer à jamais la vérité plutôt que de briser cette âme aussi lumineuse que le ciel de Nice.

Sous la surveillance d'un Scott Marlow caché derrière le tronc d'un pin, Higgins et Ségurane progressèrent sur la vaste esplanade où quelques oisifs se chauffaient au soleil. De la rotonde aux deux bancs de pierre, le couple découvrit la mer, le port de plaisance et la digue. Accrochées à la pente, des maisons peintes en ocre et rose. Aux côtés d'énormes rochers, agrippés à la terre rouge, des pins, des chênes-lièges et des yuccas.

En retournant au néant, le château fort avait ouvert à la population niçoise un site sublime où chacun pouvait se promener en paix. Higgins, une nouvelle fois, fut subjugué par le panaroma immense qui s'offrait au regard. De la Méditerranée aux Préalpes, de la Riviera ligure à l'Esterel, de la vallée du Paillon au mont Chauve, le midi de la France levait l'un des coins du voile sur le mystère de la beauté, voulue par un créateur invisible.

Niché au creux d'une rade protectrice, le port Lympia, aménagé au milieu du dix-huitième siècle, abritait de nombreux bateaux de plaisance bien protégés des vents.

— Lympia, murmura Ségurane, le lieu aux eaux pures... Si je pouvais être aussi limpide.

Elle ramassa un caillou blanc et le jeta vers le ciel. Un instant, il sembla suspendu dans les airs, puis retomba sur l'à-pic et dévala la pente vers la mer, où il se noya.

— Je connaissais le duc Andrew de Stonenfeld, révéla la jeune femme. Je le connaissais très bien. Je l'aimais et il m'aimait. Il n'a pas eu le temps de me le dire de manière aussi nette, mais je crois qu'il désirait que nous vivions ensemble.

Elle se parlait à elle-même, oubliant la présence de l'ex-inspecteur-chef.

— Andrew était un être doux et romantique. Il me lisait des poèmes anglais, me décrivait les tableaux de Turner et me racontait l'histoire des amants célèbres, toujours en quête d'un bonheur impossible. Comme il parlait bien... On aurait cru à un instrument de musique qui chantait une mélodie merveilleuse, sans cesse renouvelée. Quand je l'écoutais, je perdais le sens du temps.

— Pardonnez-moi cette indiscrétion : où vous rencontriez-vous ?

— Dans une *souffieta*.

— Un réduit sous les combles, où le vent d'hiver soufflait, autrefois.

— Exactement. Le duc l'avait louée sous un faux

nom, à l'angle de la rue de la Croix et de la rue Rossetti. La maison est charmante. Les propriétaires fleurissent leurs balconnets l'année durant. Il y a des géraniums, du romarin et des rosiers nains. Andrew les adorait et les regardait souvent de l'unique fenêtre de notre *souffieta*.

— Personne ne l'avait repéré ?

— Il y venait à la nuit tombée. J'arrivais au moins une heure plus tard et je repartais au petit matin. Nous ne sortions jamais ensemble.

— Pourquoi vous cachiez-vous ?

— Andrew était marié. Entre nous, il y avait une grande différence d'âge. Et lui, un duc anglais, avoir pour amie une petite marchande d'œillets sans le sou... ce n'était qu'un rêve. Le plus beau des rêves.

— Il commençait à prendre réalité.

— C'est vrai... Pourquoi l'a-t-on tué, inspecteur ? Il était le meilleur des hommes, le plus tendre, il haïssait la violence !

— Saviez-vous qu'il s'était battu avec l'abbé des fous, Pierre Michelotti ?

— Oui.

— Ce soir-là, il était ivre.

— Il avait voulu oublier une terrifiante dispute avec sa femme. Elle le soumettait à une torture de plus en plus insupportable. Voilà longtemps qu'il ne l'aimait plus. Il souhaitait divorcer le plus vite possible mais elle refusait avec obstination. La veille du carnaval, il lui avait proposé une fois de plus la séparation. Elle s'était moquée de lui et avait menacé de le tuer en lui défonçant le crâne avec un boulet de canon.

— Quand vous avez découvert le cadavre et le boulet ensanglanté...

— Non, je n'ai pas songé à elle. Je n'ai pensé qu'à lui. Je vais vous paraître stupide mais je ne crois pas à sa mort. Demain, après-demain, il réapparaîtra dans une ruelle du Vieux Nice. Je ne me marierai pas et je l'attendrai. Nous habiterons ensemble dans notre *souffieta* et nous n'en sortirons plus.

Comme Higgins eût aimé orienter le destin et puiser dans le passé d'immortelles secondes de bonheur, qu'il aurait déposées dans le cœur de l'amoureuse ! Mais il n'était qu'un inspecteur de Scotland Yard à la retraite, sans liens privilégiés avec le ciel.

— Souhaitez-vous que j'élucide les circonstances réelles de la mort d'Andrew de Stonenfeld ou que j'arrête mon enquête ?

— L'âme d'Andrew ne doit pas rôder dans les ténèbres. Trouvez son assassin.

Le ton était devenu ferme, presque impérieux.

— Il en sera fait selon votre désir. Mais vous devez m'aider davantage. Quelqu'un d'autre vous courtisait-il ?

— Avant de rencontrer Andrew, au marché aux fleurs, j'ai vécu quelques amourettes sans importance. Des garçons de mon âge avec lesquels j'allais me baigner ou courir dans la montagne. Un baiser furtif, des rires d'enfant, rien de plus.

— Le duc de Stonenfeld était-il jaloux ?

— Il n'avait aucune raison de l'être.

Higgins sentait que la jeune femme se crispait et refusait de se confesser davantage.

— Un autre homme est entré dans votre vie.

— Non...

— Il a tenté de vous séduire.

Ségurane éclata en sanglots. L'ex-inspecteur-chef lui donna un mouchoir de lin gravé à ses initiales, pour qu'elle sèche ses larmes.

— Marc-Antoine Armani est mon principal fournisseur d'œillets. C'est lui qui fait pousser les plus belles fleurs de la région. J'étais bien obligé de m'achalander chez lui pour satisfaire mes meilleurs clients...

— Et il a tenté d'abuser de vous.

— Voici un mois, il m'a convoquée à sa villa pour parler affaires. Il était énervé et brutal. J'ai eu peur, si peur ! J'ai réussi à le repousser. Il m'a promis que je paierais cher ma stupidité.

— Avez-vous parlé de cette scène au duc ?

— J'avais honte mais je lui ai tout raconté.

— Quelle fut sa réaction ?

— Il m'a supplié d'oublier cet incident et de demeurer sereine. Il m'a promis que je n'aurais plus à souffrir de la bestialité d'Armani et que je continuerais à vendre les plus beaux œillets de Nice. De fait, je n'ai plus revu ce monstre, mais mon approvisionnement n'a pas été interrompu.

Higgins et Ségurane reprirent leur promenade. Sans perdre de vue la mer, immense, calme et bleue, ils s'engagèrent dans la descente qui les ramenait vers la baie des Anges. Des oliviers jalonnaient le parcours.

— Quand avez-vous vu le duc pour la dernière fois ?

— Deux jours avant sa mort. Nous devions nous rencontrer le soir même.

La jeune femme étouffa un sanglot.

— A-t-il évoqué son emploi du temps?

Ségurane sembla surprise.

— Pour la première fois, oui... D'ordinaire, il était secret. Ou plutôt, il refusait ce qu'il appelait le monde des conventions. Ensemble, nous échappions au passé, aux souffrances et à l'angoisse.

— Il ne vous tenait donc pas au courant de ses affaires.

— J'en ignorais le premier mot.

— Mais ce soir-là...

— Andrew m'a dit qu'il avait un rendez-vous important, qui lui permettrait de régler un délicat problème. Ensuite, il se sentirait plus libre.

— Voilà une indication d'une importance capitale. Avec qui avait-il rendez-vous?

Ségurane parcourut une cinquantaine de mètres avant de répondre.

— Avec une personne que je connais bien et dont j'aimerais taire le nom.

— Vous me peineriez. Je croyais que nous avions conclu un accord...

— Pardonnez-moi... Je ne trahirai ni ma parole ni mes sentiments.

Elle chemina encore, se mordilla les lèvres, s'arrêta brutalement.

— Andrew avait rendez-vous avec mon oncle, Bertin Boyer.

CHAPITRE XXVII

— C'est extrêmement grave, Higgins. Je ne sais par quel bout aborder le problème, mais...

— La Promenade des Anglais mérite sa célébrité. N'est-elle pas un lieu de rêve?

— N'éludez pas la difficulté. Malgré notre vieille amitié, je dois...

— Votre promenade a dû être pénible. Pour vous qui n'aimez pas marcher, quelle épreuve! Monter au sommet de la colline du château, grimper une quantité incalculable de marches, ne pas savoir quand mon entretien avec Ségurane finirait... Sans grandiloquence, on pourrait qualifier votre expérience de calvaire.

— Vous m'aviez repéré?

— Un bon inspecteur a des yeux dans le dos. Souvenez-vous du chapitre deux du troisième tome du *Manuel de criminologie* de M.B. Masters, la seule autorité en la matière. Auriez-vous cru que je subornais un témoin ou que je tentais de le soustraire à la justice?

Le superintendant se sentit affreusement gêné

— Convenez que votre attitude prêtait à confusion... cet entretien secret, ces confidences... A propos ! vous deviez m'en révéler la teneur, n'est-il pas vrai ?

— Comment ne pas accéder à une requête aussi justifiée ? Là où nous allons, vous en saurez autant que moi.

Bertin Boyer sommeillait sur le pont de son bateau. La matinée avait été bonne. En cette basse saison, la consommation d'alcool et de cigarettes de contrebande atteignait un niveau des plus satisfaisants. L'avenir ne s'annonçait pas trop mal. Il fallait encore faire le gros dos et laisser passer quelques vagues. Le ciel niçois était trop serein pour accueillir de longs orages. Au moment où le pastis remplissait un verre au large ventre, une vision inquiétante obscurcit l'atmosphère.

Les deux policiers de Scotland Yard revenaient à la charge.

Bertin Boyer se remémora les derniers événements, réexamina en quelques brèves pensées son mécanisme de défense. Il n'y avait aucune brèche dans les fortifications. Que pouvait-il redouter?

Higgins et Marlow montèrent à bord sans y avoir été invités. L'ex-inspecteur-chef disposa deux tabourets face au marin, qui ne réagissait pas.

— Cette intrusion vous paraîtra cavalière, M. Boyer, mais elle s'imposait.

— Je ne vois pas pourquoi.

— Lors de notre sympathique déjeuner, votre

ami Michelotti a suggéré que vous étiez le seul à pouvoir faire des révélations et que vous aviez commis une faute grave.

Bertin Boyer alluma un cigare.

— Scotland Yard est trop sérieux pour accorder un quelconque crédit à ces racontars. Prenez donc un pastis et oublions ces idioties.

Le marin se leva et disposa deux verres et une bouteille sur une table basse.

— Vous vous occupez à merveille de votre nièce.

— C'est mon affaire.

— Vous vous en occupez si bien que vous n'accepteriez pas de la voir fréquenter n'importe qui.

— Ça ne me plairait pas, en effet, mais elle ne me demande pas mon avis.

— Une aussi jolie jeune femme doit être très courtisée. Un homme aussi bien renseigné que vous l'êtes connaît fatalement ses soupirants.

— Ce serait indiscret... Nous sommes très pudiques, dans le Midi.

— Pas au point d'ignorer la liaison de Ségurane Guini avec le duc Andrew de Stonenfeld.

Bertin Boyer jeta son verre plein dans l'eau du port.

— Ça ne m'amuse pas.

— Moi non plus, dit sèchement Higgins. Combien de fois avez-vous emmené en mer Ségurane et son chevalier servant?

Boyer croisa les bras et tourna le dos aux hommes du Yard.

— Ce n'est pas un crime, non? J'aimais autant les surveiller. Pas question que cet Anglais mette le grappin sur ma nièce. Des promenades romantiques au clair de lune, d'accord, mais pas plus! Vous commencez à me connaître, non? Je ne plaisante pas avec la morale, moi.

— Soyez-en félicité, déclara Higgins. De quoi parlaient-ils, pendant ces excursions nocturnes?

— Mais... de rien! Ils regardaient le ciel, les étoiles, se contemplaient l'un l'autre, se tenaient par la main.

— Vous connaissiez donc leurs projets?

— Leurs projets? Quels projets? Le duc avait envie de rêver, ma petite Ségurane de se distraire et moi de me rendre utile. N'imaginez rien, car il n'y a rien à imaginer.

Marlow fulminait. Ce trafiquant prenait le Yard pour un ramassis de demeurés.

— Nonobstant ces scènes touchantes, poursuivit Higgins, une énigme pourrait être éclaircie : la disparition du testament rédigé par le duc.

— Ça me concerne encore moins que tout le reste.

La voix du marin s'était cassée.

— Soyons un peu logiques, voulez-vous. Vous ne cessez pas de mentir, M. Boyer. Vos relations avec la victime étaient fréquentes et vous êtes probablement la dernière personne à avoir vu vivant le duc de Stonenfeld.

L'oncle de Ségurane se retourna, furieux.

— Vous y allez un peu fort, non? A force de

vouloir un coupable, vous allez commettre une terrible erreur judiciaire!

— Mon collègue ne vous accuse pas encore de crime, intervint Scott Marlow, cassant. Il se contente de renverser les châteaux de cartes que vous avez bâtis. J'ai l'impression qu'ils dissimulaient des abîmes, que nous explorerons jusqu'au fond.

La menace inquiéta Boyer, qui recula vers la cabine.

— Là, on s'égare... on s'égare complètement! Il y a juste deux ou trois bricoles que je ne pouvais pas raconter, vu ma réputation... ça, n'importe qui le comprendrait! Pour le reste, je ne suis pas dans le coup, soyez-en sûr!

— Je suis moins optimiste que vous, déplora Higgins.

L'ex-inspecteur-chef se leva et s'approcha de l'oncle de Ségurane.

— La veille de sa mort, le duc avait un rendez-vous d'affaires qu'il considérait comme déterminant. Que savez-vous à ce propos?

— Rien, rien du tout.

Le regard de Higgins devint perçant. Bertin Boyer tenta de l'éviter.

— Votre attitude est regrettable et nous fait perdre beaucoup de temps. Il serait si simple de dire la vérité et de vous laver de graves soupçons.

Le marin hocha la tête négativement.

— On s'est parlé, avec le duc, comme n'importe quels civilisés.

— Andrew de Stonenfeld avait confiance en vous. Sans doute estimait-il que vous étiez un véritable ami. L'oncle de Ségurane ne pouvait pas être un mauvais homme.

— Enfin des paroles sensées!

— Je crains qu'il ne se soit trompé.

— Vous...

— Restez tranquille, ordonna Marlow.

— Ne nous énervons pas.

— Excellente idée, approuva Higgins. J'ai la conviction, M. Boyer, que c'est vous qui détenez le testament du duc. Il vous l'a remis avec la certitude qu'il serait en de bonnes mains.

— Absurde!

— Pas tant que cela... si vous en êtes le destinataire. Ne tardez pas trop à me le remettre, M. Boyer. Sinon, je finirai par croire que vous l'avez volé.

CHAPITRE XXVIII

La police fut obligée d'intervenir au congrès de criminologie pour rétablir le calme dans la grande salle de conférences, où un affrontement entre spécialistes tournait à l'émeute. D'aucuns montaient en épingle l'agression contre Michelotti ; aussi les hypothèses scientifiques s'étaient-elles développées dans deux directions différentes : l'abbé des fous, assassin du duc, avait simulé une agression contre lui-même et défié la police ; ou bien Michelotti était en réalité la véritable victime, qui devait tout redouter des prochains jours.

Plusieurs laboratoires s'acharnaient sur la chaussure du duc. Grâce à un examen de plus en plus serré, les spécialistes étaient parvenus à indiquer la taille d'Andrew de Stonenfeld à dix centimètres près et son âge à cinq ans près. L'usure de la semelle permettait même de préciser l'impact exact de sa masse musculaire par rapport à un obstacle donné, tel qu'un trottoir. Une étude statistique des rues de Nice déboucherait sur une liste exhaustive de celles que le duc avait empruntées avec cette chaussure-là. Revers de la médaille : une certaine lenteur dans la prospection, qui désespérait le commissaire Martini. Une fois de plus, la presse avait posé la terrible question : que fait la police?

Aux autorités supérieures du Yard, avec lesquelles il était en contact quasi secret par le biais d'une cabine téléphonique, Marlow avait assuré que son enquête progressait à pas de géant et que la mort du duc ne resterait pas impunie.

Higgins ouvrit la fenêtre de sa chambre et contempla la Méditerranée. Avec dix degrés de moins, un peu de brume et de la pluie, le paysage eût été parfait. L'*Hymne à Albion*, de Harriet J.B. Harrenlittlewoodrof, n'évoquait-il pas à la perfection la nostalgie de l'Angleterre natale :

L'arbre pleut, la route pleut, la rivière pleut
Mais la cheminée fume et l'âtre rougeoie,
Le brouillard se dépose en gouttes grises sur le promeneur,
Mais la terre s'apaise et l'herbe ressuscite.

Dernier chantre d'une poésie digne d'Homère et de Shakespeare, la trop modeste Harriett J.B. Harrenlittlewoodrof avait attiré l'attention de grands critiques littéraires. L'un d'eux avait même évoqué le prix Nobel. Dès que Higgins ne serait plus importuné par des enquêtes criminelles, il s'occuperait de promouvoir cette œuvre immense.

Ce matin-là, il n'avait guère le loisir de se consacrer à la poésie. Deux messages étranges lui étaient parvenus, fixant des rendez-vous qui, par bonheur, ne se chevauchaient pas. De plus, il devait organiser un déjeuner qui risquait d'être explosif. Lui qui désirait prendre quelques jours de repos, en se nourrissant de nostalgie, se trouvait plongé dans la plus fébrile des activités.

L'ex-inspecteur-chef aurait volontiers averti Marlow de son programme de la matinée, mais le super-intendant, avec un courage digne d'éloge, tentait de préserver la bonne marche du congrès de criminologie. Aussi Higgins se rendit-il seul dans le Vieux Nice, à l'endroit fixé par le premier message, la curieuse maison baptisée *la Treille*, à l'angle des rues de la Providence et François Zanin. Le peintre français Raoul Dufy avait consacré plusieurs tableaux à cette maison haute et étroite, dont la façade était entièrement couverte de vigne grimpante.

Non loin de là, les commerçants de la rue Pairolière remontaient les rideaux de fer, décorés de peintures évoquant la vie quotidienne des Niçois, et les marchands de poisson de la place Saint-François dressaient leurs étals autour de la fontaine aux Dauphins. La petite place de la Treille était calme. Higgins s'accouda à la balustrade en fer forgé, à droite de la porte d'entrée au sommet arrondi.

Il n'attendit pas longtemps. Fumant un cigare, coiffé d'un béret et vêtu d'un imperméable bleu Bertin Boyer s'adossa à l'angle du mur. Sans voir Higgins, il pouvait cependant lui parler à voix basse.

— Vous êtes là, inspecteur?

— Votre message était parfaitement clair, M. Boyer.

— Nous devrions peut-être cesser de jouer au chat et à la souris.

— Ce serait préférable pour la souris.

Le marin se racla la gorge.

— Ce n'est pas facile...

— Un honnête homme doit parfois affronter ce genre de situation.

— J'ai...

Bertin Boyer s'interrompit. Un touriste, l'appareil photographique en bandoulière, passa à côté de *la Treille* sans la voir.

— Il y a de plus en plus de badauds, même en automne. A se demander si le tourisme ne va pas tout défigurer.

— Le Vieux Nice résistera. Je n'ai pas entendu la fin de votre phrase.

— Je possède le testament olographe du duc.

L'aveu fut suivi d'un long soupir.

— Ce souci de la vérité vous honore, M. Boyer.

— Ça devenait trop dangereux. Andrew était un bon copain et un type sympathique. Il tenait bien le pastis et adorait les promenades en mer. Comme il n'avait aucune confiance dans les notaires locaux, il m'a choisi comme dépositaire du document.

— Il y a certainement une autre raison. Me le remettrez-vous ?

— C'est extrêmement délicat. Trahir un vieil ami...

— Vous êtes donc bien le bénéficiaire du testament ?

— Mais non, justement !

Bertin Boyer regretta d'avoir haussé le ton. Il regarda autour de lui. Aucune fenêtre ne s'ouvrit.

— Vous ne comprenez pas, inspecteur.

— Tenteriez-vous de protéger quelqu'un ?

— Voilà.

— Vous-même n'êtes pas couché sur le testament.

— Voilà !

— Et la personne qui hérite est... inattendue.

— C'est un plaisir de dialoguer avec vous, inspecteur. A présent, vous en savez autant que moi et je suis complètement hors de cause.

— Sainte Réparate vous entende, M. Boyer. Il reste un détail, cependant.

— Ah ?

— Le nom de cette personne.

— Je ne peux pas. L'amitié, la discrétion...

— Remettez-moi le testament.

— Vous croyez que c'est préférable ?

— Craindriez-vous qu'il ne tombât pas en de bonnes mains ?

— Bien sûr que non. Mais les dernières volontés de mon ami Andrew...

— Elles seront exécutées, si le document est valable.

— Il l'est. Andrew a signé devant moi. J'en témoignerai. Je redoute la méchanceté et la jalousie. Un héritage comme celui-là risque de faire jaser...

— Les chiens aboient, la caravane passe. Si

votre conduite a été irréprochable, le destin vous sera favorable. Le testament?

D'un geste lent, comme s'il manipulait une substance explosive, Bertin Boyer remit le testament du duc Andrew de Stonenfeld à l'ex-inspecteur-chef.

— Je peux partir?

— A bientôt, M. Boyer.

Pendant que le marin disparaissait dans la rue de la Providence, Higgins lut le court texte rédigé par le duc. Il léguait la totalité de sa fortune à Ségurane Guini.

CHAPITRE XXIX

Le 23, rue de la Préfecture, était l'une des adresses les plus célèbres de Nice. C'est là qu'était mort, le 27 mai 1840, le fameux violoniste Nicolo Paganini, surnommé *le Diable*. « Expirant avec le jour, indiquait le texte de la plaque commémorative, l'âme de Paganini a fait retour aux sources de l'harmonie éternelle. L'archet qui fut puissant des notes magiques gît inanimé, mais la douceur infinie de ses notes imprègne encore aujourd'hui la suavité du ciel de Nice. »

L'homme au chapeau blanc se plaça timidement à la hauteur de Higgins.

— Vous êtes venu, inspecteur...

— Pourquoi aurais-je refusé, M. Ricci? Je suis persuadé que vous avez beaucoup à m'apprendre.

— J'aimerais mieux m'éloigner du palais de justice. Les deux hommes progressèrent dans la rue de la Préfecture et gagnèrent le quartier du Malonat, où une intervention de la Vierge avait mis fin, en 1832, à une épidémie de choléra qui décimait les pêcheurs.

— Je parviens à la croisée des chemins, inspecteur.

— Judicieuse observation.

Higgins leva les yeux vers un linteau de la rue Jules Gilly. Dans la pierre était gravée une ferme devise du seizième siècle : « Paix aux amis, guerre aux ennemis ».

— Commenceriez-vous une croisade contre vos faux amis, M. Ricci ?

— J'en ai peur. Je crois que je me suis lourdement trompé. Tout sacrifier à son art, même sa morale, est une faute impardonnable. Je m'en veux, croyez-moi.

L'ex-inspecteur-chef respecta quelques instants cette douleur muette, dont les angelots proches du lavoir du Malonat perçurent certainement l'intensité.

— Mon rôle ne consiste pas à vous pardonner mais je peux au moins essayer de comprendre.

— J'ai eu confiance en Bertin Boyer. C'est un bandit, bien sûr, mais avec un certain sens de l'honneur. Le trafic me rendait un peu honteux mais construire des chars pour le carnaval, quelle drogue ! Qui a connu ce métier-là ne peut pas en pratiquer d'autre.

Louis Ricci fumait sa pipe en terre avec application. Elle lui servait à masquer sa nervosité.

— Boyer n'est pas un vrai Niçois. Ma vocation, il s'en moque. Gagner de l'argent, plaire aux Anglais... voilà ce qui l'intéresse.

— Peut-être n'est-il pas plus libre que vous-même.

— Vous vous en doutiez?

— Ses liens avec Armani ne le mettent pas dans une posture très favorable.

— Ils sont encore bien plus étroits que vous ne l'imaginez.

Le carnavalier tira sur sa pipe et se réfugia dans le silence. Quand se profila le haut clocher de l'église de Jésus, la parole lui revint.

— Boyer est un pénitent noir. Il a toujours caché son appartenance à la confrérie. Quand il porte la cagoule, lors des processions, personne ne le reconnaît.

— Aurait-il honte de ses convictions religieuses?

— Un pénitent trafiquant, ça fait mauvais genre. Ces compromissions me dégoûtent.

— Je veux bien admettre la sincérité de Boyer, mais je n'y crois guère. La vérité est sans doute très différente. N'aurait-il pas adhéré à la confrérie sur l'ordre d'Armani, afin de recueillir l'adhésion des riches Anglais avec lesquels il entrait facilement en contact?

— Vous saviez ça aussi... Il faut dire que les Anglais en question avaient besoin de blanchir de l'argent d'une origine douteuse.

— Etait-ce le cas du duc Andrew?

— Ça m'étonnerait. L'argent à capter, c'était celui du testament. On savait que le duc voulait divorcer et qu'il n'avait pas d'héritier désigné. Armani a demandé à Boyer de devenir son ami et de gagner sa confiance. Dans ce genre d'exercice,

Bertin est inégalable. Il séduirait la plus revêche des vieilles Anglaises.

— A-t-il réussi à détourner l'héritage à son profit?

— Je l'ignore mais c'est probable. Bertin est un homme efficace A moins qu'il n'ait commis sa grosse bourde avant que le duc ne lui remette le document.

Des volutes de fumée s'envolèrent en abondance vers l'azur. Le carnavalier reprenait son souffle en fumant. Devant la cathédrale Sainte-Réparate, au fronton égayé par le soleil, il ôta d'une main tremblante la pipe de sa bouche.

— Prendrez-vous mon témoignage en compte, inspecteur, même s'il est terrifiant?

— Je vous écoute, M. Ricci.

Le carnavalier rabattit le chapeau blanc sur son front afin de masquer son regard. Il pria Higgins de s'asseoir à la terrasse d'un café, à côté du clocher de la cathédrale.

— La veille de l'assassinat, le duc est passé à mon atelier.

— Lequel des deux?

— Celui des bougies. Pour la première fois depuis que je le connaissais, il avait l'air joyeux. Il m'a donné une grosse somme d'argent pour m'encourager à construire des chars de plus en plus spectaculaires. Très intrigué, j'ai décidé de le suivre. Il s'est dirigé vers le port, tout guilleret. Il sifflait des airs joyeux. Il est monté à bord du bateau de Bertin puis ils se sont enfermés dans la cabine.

— Combien de temps?

— Environ une demi-heure. Ils en sont ressortis ensemble, en se tapant sur l'épaule. Le duc ne marchait pas très droit. Ils ont flâné sur le quai, hilares, comme deux amis qui venaient de faire une bonne blague. Soudain, ça s'est envenimé : le duc a empoigné Bertin par le col de sa chemise. Le marin a violemment réagi et renversé son adversaire d'un coup de tête. Stonenfeld est tombé à l'eau. Boyer l'a regardé se débattre quelques instants et lui a enfin tendu la main.

Louis Ricci se cacha les yeux dans les mains.

— Voilà... à présent, je suis un mouchard et un délateur.

CHAPITRE XXX

Higgins avait réservé la table proche de l'amphore. Le cuisinier du restaurant *Da Pato* s'était surpassé en préparant une succulente *tourta*. Entre les deux feuilles de pâte cuite au four, se mélangeaient œufs, fromage et épices savamment dosés. A cette entrée succéderaient un farci de fleurs de courgettes, du mesclun, un loup pêché le matin même et une tourte de blettes accompagnée de clémentines confites. Ces mets délicats, arrosés d'un vin de Cassis au bouquet particulièrement fruité, conviendraient aux deux dames assises face à face, de part et d'autre de l'ex-inspecteur-chef, posté à l'une des extrémités de la table.

— Qui est cette fille? demanda Angela Paladi.

— Je m'appelle Ségurane Guini, répondit la jolie brune avec vivacité. Vos grands airs ne m'impressionnent pas. Nice est libérée depuis longtemps du joug italien.

— Tant pis pour elle. Vous auriez pu nous présenter, inspecteur.

— La réputation d'Angela Paladi a dépassé les

frontières de sa villa niçoise, ironisa la marchande d'œillets.

— Vous me connaissez, ma petite ! Où m'avez-vous vue ?

— J'ai beaucoup entendu parler de vous. Votre visage m'était plus familier que si je l'avais contemplé sur mille photographies.

— Qui vous a renseignée ?

— Votre ex-mari.

Angela Paladi se leva.

— Qui est cette traînée, inspecteur ? La maîtresse d'Andrew ?

Ségurane Guini se leva à son tour et fit face à l'Italienne.

— Je n'étais pas la maîtresse d'Andrew. Nous nous aimions.

Le regard de l'Italienne vacilla.

— Vous vous aimiez et vous n'étiez pas sa maîtresse... Ça n'a aucun sens !

— Pour nous, ça en avait beaucoup. C'était même le sens de notre vie.

— Cette donzelle a perdu la tête.

Higgins convia ses deux invitées à se rasseoir.

— Vous devriez goûter cette *tourta*. Elle est exquise.

L'Italienne consentit à manger du bout des lèvres. La Niçoise refusa.

— Pourquoi cette confrontation ? demanda cette dernière.

— Pour régler ensemble quelques détails, répondit Higgins, bonhomme. Vous êtes les deux femmes qui connaissiez le mieux le duc Andrew.

— Inexact, objecta Angela Paladi. Vous oubliez Victoria Pendleton. Elle a servi le père et le fils.

— Aurait-elle vécu une inclination amoureuse pour l'un et l'autre ?

L'Italienne éclata de rire.

— Victoria amoureuse ! C'était bien pire... Elle les vénérait. Sa plus grande peine, c'est de ne pas avoir recueilli les dernières volontés du fils. Elles auraient été semblables à celles du père : maintenir l'honneur des Stonenfeld. L'honneur des Stonenfeld, quelle blague ! Je l'ai piétiné dix fois en prenant des amants jeunes et infatigables. Infatigables, c'est ce qu'ils prétendaient, ces incapables !

— C'est monstrueux, jugea Ségurane. Vous êtes une... une...

— Une femme, compléta Angela Paladi. Avec ses déceptions et ses désirs. Vous verrez, ma petite. Vous passerez par la porte étroite de l'existence, vous aussi.

— Une porte qui laisse passer des boulets de canon, indiqua Higgins.

L'Italienne fut piquée au vif.

— A quoi faites-vous allusion ?

— Vous le savez.

— La collection de mon père vous surprend... C'était un original. Il accumulait aussi les cartons à chapeaux et les fers à cheval.

— Il est gênant de constater qu'un boulet de canon fut une des armes mortelles employées contre le duc, et que vous aviez désiré introduire chez vous ce type d'objet.

— Andrew a refusé. Lui n'était pas du genre excentrique.

— Il était moins conformiste que vous, objecta Ségurane. Si vous lui avez fracassé le crâne avec un boulet, je vous ferai subir le même sort.

— Faites-la taire, cette mijaurée !

— Sa supposition n'est pas absurde, estima Higgins.

Ces paroles désarçonnèrent Angela Paladi.

— Vous... vous accordez foi à cette monstruosité ?

— J'approche de la vérité et je compte mettre en évidence les mensonges des uns et des autres.

— Moi, je n'ai pas menti ! Et elle ? Peut-elle en dire autant ?

Les yeux de la Niçoise brillèrent d'une lueur inquiétante.

— Si vous portez une accusation précise, formulez-la.

— Connaissez-vous la teneur du testament rédigé par le duc Andrew?

— J'ignorais son existence.

L'Italienne prit un air farouche, véritable lionne prête à fondre sur sa proie.

— C'est cette petite garce qui a volé mon testament... Je vais la...

— Calmez-vous, exigea Higgins. Ce document est entre mes mains.

La fureur d'Angela Paladi retomba aussi vite qu'elle était montée.

— Vous détenez mon testament, enfin... mais vous m'aviez promis...

— Les événements se sont enchaînés très vite, déplora Higgins. Les dernières lignes écrites de la main du duc m'ont été acheminées par un canal douteux.

— Qui hérite ? demanda l'Italienne, presque suppliante.

— Une seule personne.

Ségurane Guini demeura indifférente. Angela Paladi sourit.

— C'est moi, n'est-ce pas ? Moi, la seule femme qu'il a vraiment aimée...

— Je suis désolé. L'unique héritière est la jeune femme qui se trouve en face de vous.

— C'est une sinistre plaisanterie.

— Tel est également mon avis, dit Ségurane.

— Qu'elle vous déplaise ou non, c'est la volonté du duc.

— Qu'avez-vous manigancé avec mon mari, petite diablesse ?

La jolie Ségurane perdit toute assurance.

— Mais rien... J'ignorais...

— Vous ignoriez qu'il voulait vous léguer sa fortune ?

— Je vous le jure !

— Incroyable ! Je vous promets, moi, que j'attaquerai ce testament.

— Grand bien vous fasse. J'espère que vous gagnerez. Cet argent, je n'en veux pas.

— Elle est détraquée, ma parole... Ou bien elle joue admirablement la comédie. Bien sûr, une comédienne ! Une maudite adepte du carnaval, qui sait déguiser son cœur et tromper son monde. Tu crois avoir gagné, Ségurane? Eh bien, tu te trompes! Il ne restera pas un sou, tu m'entends? Pas un sou!

Folle de rage, l'Italienne sortit du restaurant à grands pas. Pendant quelques secondes, se prolongea le choc de ses talons sur les tomettes.

Ségurane pleurait doucement. Higgins lui offrit de la tourte de blettes.

— Pardon de vous avoir infligé cette dure épreuve, mais elle était nécessaire.

— J'ignorais tout, je vous jure.

— Je le sais.

— Cette Angela est horrible! Comme il a dû être malheureux...

— Le malheur pousse les humains à commettre des actes condamnables.

La jeune femme sécha ses larmes.

— Je regrette de m'être montrée si émotive. Elle a dû bien rire de ma faiblesse.

— Au point où nous sommes arrivés, plus personne n'a le cœur à rire.

— Inspecteur... connaissez-vous le nom de l'assassin?

— Pas encore, répondit Higgins, mais lui le connaît.

Sur la table, il posa son carnet noir.

CHAPITRE XXXI

— Je vous en prie, Higgins, accordez-moi cette grâce, au nom de Sa Majesté et de l'Angleterre !

— Voilà de bien hautes autorités pour une tâche si médiocre.

— Une tâche vitale, estima Scott Marlow. Si vous refusez, je suis perdu. Je ne sais même pas si j'oserai rentrer à Londres.

— Ne céderiez-vous pas, superintendant, à l'exagération méditerranéenne ?

— Faites cette conférence, je vous en prie ! Les congressistes l'attendent avec impatience.

— Voilà longtemps que je ne me produis plus en public.

— Higgins...

— Vous seriez-vous engagé à ma place, superintendant ?

— Eh bien...

— C'est fort imprudent. Je n'apprécie guère qu'on me force la main.

— Je sais... mais je sais aussi, comme les policiers du monde entier, que vous rédigez le quatrième tome du *Manuel de criminologie*, que M.B. Masters n'a pas eu le temps de terminer. Vous pourriez au moins retracer les grandes lignes de votre œuvre.

— Pure légende. Je n'ai aucun goût pour l'écriture. Je consacre mes loisirs à relire les bons auteurs et à m'occuper de mon domaine.

— Ne m'abandonnez pas... Le congrès risque de faire la révolution!

— Le spectacle pourrait être plaisant. Dans deux jours, mon cher Marlow, cette enquête sera terminée.

Le visage du superintendant s'illumina.

— L'assassin?

— Je n'ai pas affirmé qu'il serait identifié.

— Vous venez de dire...

— Que l'enquête serait terminée, rien de plus. Demain matin, grasse matinée. L'après-midi, promenade dans le Vieux Nice. Après-demain, à dix heures, veuillez convoquer à la villa du duc Andrew les personnes dont le nom figure sur cette liste.

— Et... le commissaire Martini?

— Sa présence est indispensable, bien entendu.

La vie d'un inspecteur du Yard est remplie de surprises désagréables. Le téléphone sonna à sept heures mettant fin à la grasse matinée.

— Commissaire Martini... Bonjour, mon cher collègue. Je ne vous dérange pas?

— Pensez-vous.

— D'après le superintendant, vous tenez l'assassin?

— Je tiens simplement à une confrontation générale qui nous permettra d'y voir plus clair.

— Ah... donc, pas de nom?

— Pas de nom.

— Dommage. Du côté de la chaussure, nous avons un ennui. Elle a été placée par erreur dans un stock de bottes réglementaires destinées à la gendarmerie. Une bavure administrative. Comme l'indice est parti en train pour la Corrèze, nous mettrons quelque temps à le récupérer.

— Dommage. Il me semblait...

— Soyez sans crainte. Cette chaussure, nous la ferons parler. Pas de nom, vous êtes sûr?

— Comme je le suis de l'heure.

— A demain.

Higgins terminait de se raser et de lisser sa moustache poivre et sel quand le téléphone sonna à nouveau.

— Ici, Louis Ricci... Je vous ai raconté n'importe quoi. Oubliez tout.

— On vous a menacé?

— Oubliez tout.

Ricci raccrocha sèchement. A peine l'ex-inspecteur-chef eut-il ajusté son nœud papillon en position droite, que la sonnerie aigrelette se fit entendre pour la troisième fois.

— Bonjour, inspecteur... Je suis très inquiète. Pourquoi la maison du duc doit-elle être envahie par tous ces gens?

— Rassurez-vous, Mlle Pendleton. La routine policière.

— Est-ce que je figure au nombre des suspects ?

— Seul mon collègue pourrait répondre à cette question. C'est lui qui possède la liste. Et le secret de l'enquête scelle ses lèvres.

— Je suis vraiment très inquiète... Si j'ai commis une faute, j'aimerais tellement que personne ne le sache !

— Comptez sur moi, mademoiselle. Dans les limites du possible, bien entendu.

Angela Paladi succéda à Victoria Pendleton.

— Vous m'avez beaucoup déçue, inspecteur.

— J'en suis navré.

— Je veux bien être présente demain matin, si cette petite garce de Ségurane est sous les verrous.

— A Nice, je n'ai aucun pouvoir. C'est au commissaire Martini de prendre la décision.

— Elle ne l'emportera pas au paradis, foi d'Angela !

Le cinquième coup de téléphone interrompit le petit déjeuner.

— Marc-Antoine Armani à l'appareil... Vous comptez m'importuner longtemps ? C'est la première fois que je suis officiellement convoqué par la police. Et Scotland Yard, en plus ! J'ai protesté auprès de Martini. Il m'a vivement conseillé de ne pas être en retard. Il vous lèche les bottes, on dirait ?

— Mon collègue français et moi-même ne nous battons pas sur le terrain des chaussures.

— Je vous préviens, Higgins : que ce soit la dernière fois.

— Ce sera la dernière fois, M. Armani. Mettez vos affaires en ordre.

— Qu'est-ce que ça signifie ?

— Que personne n'est à l'abri d'un départ précipité.

Le sixième appel accompagna la seconde tasse de café.

— Inspecteur Higgins ?

— Lui-même. De la part de qui ?

— J'aimerais rester anonyme.

— Trop tard, M. Boyer. Un ennui ?

— Mon bateau vous plaît ?

— Vous l'entretenez à merveille.

— Si vous désirez quitter Nice aujourd'hui, je suis prêt à vous faire un prix. La météo annonce des vents mauvais sur le Sud.

— Je suis sensible à votre invitation, mais vous et moi avons une obligation commune à remplir.

— Si on pouvait éviter le grand déballage, je ne serais pas contre.

— Supprimer le cadavre du duc me paraît impossible.

— Un cadavre est un cadavre. Personne ne ressuscitera ce vieil Andrew. Enterrer l'affaire serait une bonne solution, qui satisferait tout le monde.

— Je crains de devoir briser cette belle unanimité.

— Vous avez tort, inspecteur.

— Vous avez peur, M. Boyer.

Le marin raccrocha. Par acquit de conscience, Higgins s'étendit sur son lit et consulta les nombreuses notes prises sur son carnet noir. Jusqu'à l'heure du déjeuner, il se remémora les faits et les classa avec ordre et méthode.

Puis il revêtit son blazer armorié et sortit du *Westminster*.

Ni Pierre Michelotti ni Ségurane n'avaient téléphoné.

CHAPITRE XXXII

Pissaladière et socca furent au menu du rapide déjeuner de Higgins, qui s'immergea dans les ruelles du Vieux Nice. Il passa devant les anciens palais que seul un linteau sculpté signalait à l'attention, se réjouit l'œil des couleurs vives des maisons, traversa à nouveau le quartier du Malonat, emprunta la rue de la Poissonnerie, la rue Barillerie, remonta la rue Droite, s'attarda sur la place Vieille et sur la place Rossetti, où il but un jus de raisin.

Sur une page de son carnet noir, Higgins mit en relation les suspects et les indices recueillis près du cadavre du duc. Son travail terminé, il considéra le résultat avec perplexité :

Boulet de canon = Angela Paladi
Colle et papier = Louis Ricci
Poison = Victoria Pendleton
Poignard = Marc-Antoine Armani
Corde = Louis Ricci
Œillet = Ségurane Guini ou Marc-Antoine Armani
Montre à brillants = le duc lui-même

Deux noms étaient absents : Pierre Michelotti et Bertin Boyer. Impression fausse, puisque le premier se reliait au *mocoletto*, la bougie fatale qui ne figurait pourtant pas parmi les objets recueillis sur le lieu du crime. Quant à Boyer, il aurait pu figurer en face de « colle et papier » ou de « corde », si l'on admettait qu'il avait manipulé Louis Ricci. Mais n'était-ce pas une interprétation abusive des faits, qui risquait d'entraîner Higgins sur un mauvais chemin ?

Seul indice à supprimer : la montre à brillants. Personne ne l'avait placée dans le gousset du duc, qui l'avait rachetée à l'épicier arabe après l'avoir offerte à Michelotti, contraint de la revendre pour satisfaire ses besoins matériels. Puisqu'il avait la chance de pouvoir faire confiance à un témoin extérieur au crime, l'ex-inspecteur-chef avançait en terrain solide. Grand amateur de bijoux, heureux de retrouver un trésor familial, Andrew de Stonenfled n'avait pas hésité à récupérer son bien. S'était-il interrogé sur la raison de cette transaction inattendue ? S'il en avait parlé à l'épicier, s'il s'était étonné, ce dernier ne l'aurait pas caché à son Higgins. Seule cette montre ne renvoyait pas à l'assassin.

A l'assassin... ou aux assassins. Un raisonnement élémentaire conduisait à la conclusion que la complicité entre divers protagonistes du drame les avait conduits à supprimer un individu gênant. Mais ce crime reposait-il sur une quelconque logique ? Tout au long de cette enquête, Higgins avait rejeté une dizaine de solutions. A la veille d'une délicate confrontation, il hésitait encore entre plusieurs hypothèses, preuve humiliante que sa méthode ne fonctionnait pas de manière satisfaisante.

Higgins étudia la liste qu'il venait d'établir. Les rapports entre les armes du crime et les suspects suffisaient-ils à désigner le ou les coupables ? On avait beaucoup menti depuis le début de cette affaire mais, curieusement, dissimulation et omissions volontaires ne gênaient pas l'ex-inspecteur-chef. En fouillant la conscience et les actes de ceux et de celles qu'il soupçonnait, il n'avait pas abouti à un crime. Les délits mineurs cachaient-ils l'assassinat ?

Le nœud de l'énigme restait serré. A l'instar d'Alexandre le Grand, l'ex-inspecteur-chef devrait-il le trancher brutalement ? A présent, le temps lui était compté et il était peu probable qu'une aide supplémentaire lui fût accordée.

Higgins déambula de nouveau dans le Vieux Nice, au parcours sinueux comme celui d'une enquête criminelle. Il revint à un endroit qui lui était cher, au 21 de la rue Droite où, au linteau d'une belle porte ancienne, une inscription proclamait : « Mon espoir est Dieu ». Un compas gravé dans un G prouvait qu'un compagnon, lors de son tour de France, avait fait halte dans la vieille ville pour y préparer son chef-d'œuvre. L'ex-inspecteur-chef eût aimé utiliser le heurtoir pour frapper à la porte mystère et lui demander de s'ouvrir.

Ses pas portèrent Higgins jusqu'à l'église de Sainte-Rita, que venaient prier les désespérés. Sous ses arcades, une loge du seizième siècle où, à cette époque, se réunissaient alchimistes et astrologues.

Les fidèles venaient y discuter, des réunions publiques s'y tenaient. Puis des grilles avaient été posées. Le 22 mai, fête de la sainte, on s'y pressait pour tenter d'obtenir une rose qui serait bénie pendant la messe et procurerait tous les bonheurs.

Un inspecteur du Yard ne pouvait pas prier une sainte chrétienne et implorer un miracle sans déclencher les foudres de son administration, qui réclamerait un justificatif en cas de succès. Mais Higgins était à la retraite et n'avait jamais fait grand cas des dictatures bureaucratiques. Sans aller jusqu'à une prière en bonne et due forme, il dialogua avec la sainte, au pied de ses arcades favorites. Prétendre que l'ex-inspecteur-chef bénéficiât d'une apparition eût été excessif ; mais il reçut une illumination certaine qui lui ouvrit un nouveau chemin : ce n'était pas à partir des mensonges qu'il devait raisonner mais d'une vérité toute simple, qui lui avait été présentée sans la moindre dissimulation et sans aucune volonté de dénaturer les faits.

Il ne manquait plus de pièce au puzzle. Les indices s'emboîtaient les uns dans les autres. Aucun élément de l'enquête n'était éliminé.

Curieuse affaire, beaucoup plus complexe qu'il n'y semblait et qui mériterait une solution originale. Se méfiant un peu des interventions célestes, Higgins consulta à nouveau son carnet pour s'assurer qu'il n'était pas la proie d'une illusion. Passées au crible, ses notes le confortèrent dans son intuition.

Curieuse affaire, en vérité.

CHAPITRE XXXIII

Contrairement aux prévisions de la météorologie nationale, le dimanche fut très ensoleillé. Higgins arriva au rendez-vous avec une demi-heure de retard, non par négligence, mais pour créer un climat de tension entre les participants à la reconstitution.

Victoria Pendleton avait refusé de laisser envahir sa maison par un groupe de gens énervés, susceptibles d'abîmer les meubles ou de salir les tapis. Aussi les avait-elle installés dans le jardin, sur la pelouse pelée qui guettait une improbable pluie. Bien entendu, la secrétaire particulière avait demandé à Scott Marlow et au commissaire Martini de disposer les pliants. Ne se considérant pas comme une bonne à tout faire et s'estimant fort importunée par ces manœuvres policières intempestives, Victoria Pendleton abandonnait aux deux hommes l'initiative de l'action.

Chacune des personnes convoquées avait, comme il se devait, revêtu ses habits du dimanche. Angela Paladi écrasait ses hôtes de sa splendeur hautaine. Pantalon blanc, chemisier rouge vif, cheveux libres lui donnaient l'allure d'une grande dame indifférente à ce qui se passait autour d'elle. Elle s'était assise sur un fauteuil en rotin, sous un parasol à la tige en bois précieux. A sa gauche, debout, Victoria Pendleton, en tailleur gris cendré. Le buste toujours très droit, le chignon impeccable, les mains nouées, elle semblait encore plus crispée qu'à l'ordinaire. Continuant le cercle sur sa gauche, Scott Marlow, également debout. Puis Pierre Michelotti, la tête enturbannée dans un pansement et les épaules rentrées, mal à l'aise sur son pliant, mais plutôt élégant dans son costume bleu pétrole; Ségurane Guini, délicieuse dans sa robe à petites fleurs jaune et rouge tendre; Bertin Boyer presque trop serré dans son costume prince-de-galle d'excellente coupe et fumant le cigare; Marc-Antoine Armani, un peu voyant dans son costume blanc rehaussé d'une cravate verte et d'une pochette de même couleur; Louis Ricci, au visage dissimulé par un chapeau aux larges bords et fumant sa pipe en terre; enfin, le commissaire Martini, qui, comme les précédents, était assis sur un siège pliant.

Le superintendant fulminait. Entre les membres de cette brillante assemblée, le courant ne passait pas. Depuis cinq minutes, l'atmosphère devenait franchement détestable. A deux reprises, déjà, Martini avait dû calmer Marc-Antoine Armani qui menaçait d'exterminer Higgins. Michelotti, lui, voulait s'en prendre au propriétaire terrien. Scott

Marlow, qui s'estimait surtout responsable de la sécurité de Victoria Pendleton, lui ordonna de se tenir tranquille. Un très vif échange de propos opposa Bertin Boyer, partisan d'une Nice ouverte aux étrangers à condition qu'ils fussent Anglais et fortunés, à Louis Ricci, fermement décidé à rendre la ville aux vrais Niçois et à reconstruire des remparts.

Avec un sens inné de la mise en scène, Higgins arriva à l'instant où l'on frisait l'émeute.

— Superbe journée, n'est-il pas vrai? Un peu chaude pour la saison, peut-être. Cette réunion dans le jardin est une excellente idée. Je suppose que nous devons cette initiative à Victoria Pendleton ou à Angela Paladi?

La femme du duc détourna le visage. La secrétaire particulière approuva d'un hochement de tête, dont la prestance séduisit Scott Marlow.

— Enfin, Higgins! Vous avez vu l'heure?

— Il n'y a pas d'heure pour élucider un crime, dit l'ex-inspecteur-chef en se plaçant au centre du cercle. Malgré la beauté du paysage, nous sommes réunis pour identifier l'assassin du duc Andrew de Stonenfeld, mis à mort dans une ruelle du Vieux Nice comme une victime expiatoire.

La gravité de la déclaration et sa teneur même semèrent une perturbation perceptible dans l'assistance. Soudain, l'horreur de cette mort tragique devenait plus proche, plus immédiate. Un nouvel invité venait de faire son apparition dans les esprits : le cadavre du duc de Stonenfeld.

— J'ai longtemps piétiné, avoua Higgins, qui marcha lentement en passant devant chacun des participants à la reconstitution. Non que cette affaire criminelle fût la plus vicieuse et la plus abominable, mais parce qu'elle date d'un autre âge et se réfère à des valeurs presque disparues, tout en s'enracinant dans cette terre niçoise et plus particulièrement dans cette vieille ville que l'assassin connaissait à la perfection. N'est-ce pas votre avis, M. Ricci ?

Le carnavalier sursauta. Ses lèvres s'entrouvrirent, la pipe en terre tomba sur la pelouse desséchée et se brisa. Il n'osa pas la ramasser.

— Mais... pourquoi moi ?

— Parce que de lourdes présomptions pèsent sur votre personne. Vous êtes un Niçois militant, une sorte d'autonomiste, et vous détestez les Anglais qui, selon vous, ont dénaturé votre ville. Vous vivez hors du temps, dans un perpétuel carnaval, au sein d'un rêve un peu fou qui prend la forme de chars, de masques et de personnages symboliques que vous fréquentez plus volontiers que les humains.

Louis Ricci s'apaisa. C'était la première fois qu'on lui parlait ainsi, la première fois qu'on décrivait son aventure intérieure en des termes justes.

— Vous êtes un artiste, poursuivit Higgins, mais aussi un faible. Afin de pouvoir exercer votre activité, votre raison de vivre, vous vous êtes mis entre les mains de personnages douteux.

Bertin Boyer protesta.

— Je ne vous permets pas...

Higgins se tourna légèrement sur sa gauche pour regarder le marin. Son regard le dissuada de continuer. L'ex-inspecteur-chef revint auprès du carnavalier.

— Vous avez bien mal organisé votre existence et souillé votre art. Accepter que vos chars servent à des opérations de contrebande, était-ce digne de vous ?

Louis Ricci, au bord des larmes, baissa la tête.

— Malheureusement pour vous, il y a la colle et le papier avec lesquels on a scellé la bouche du duc pour l'étouffer et la corde avec laquelle on l'a étranglé. Trois armes du crime en votre possession ! Etait-il vraiment nécessaire d'aller chercher plus loin le criminel ?

Le commissaire Martini et le superintendant Marlow se reprochèrent, au même moment, d'avoir refusé l'évidence. L'assassinat du duc était le fait d'un xénophobe doublé d'un imaginatif, qui avait rendu son geste théâtral en le signant.

— Je souhaite expulser les Anglais, objecta Ricci, dont la voix tremblait, pas les assassiner.

— Vous êtes un violent.

— C'est vrai, contre les injustices de l'Histoire et des hommes, et contre... ma médiocrité.

Le carnavalier jeta à terre son chapeau à larges bords, se leva et le piétina. Puis il regarda Higgins en face.

— Je ne supporte plus de me terrer dans mon trou comme une bête traquée. Oui, j'avoue : je suis un voleur et un trafiquant minable.

— Votre nom n'était pas inconnu à Victoria Pendleton. Vous connaissiez le duc.

— Très peu. Je ne l'appréciais pas, c'est vrai, mais je ne lui voulais aucun mal. Il ne dérangeait pas les Niçois et ne manifestait aucune arrogance à leur égard.

Scott Marlow, ému par la sincérité du carnavalier, ne pouvait cependant omettre la réalité la plus matérielle.

— Comment expliquez-vous la présence, chez vous, de trois indices qui conduisent à vous accuser ?

— Ils sont simplement en rapport avec mon métier. Mon atelier principal reste ouvert, dans la journée. N'importe qui a pu y pénétrer, voler de la colle, du papier et de la corde.

— C'est une hypothèse intéressante, reconnut Higgins. N'oublions pas deux détails intéressants : d'une part, on n'a trouvé chez Louis Ricci ni boulet de canon, ni poison rare, ni poignard ; d'autre part, le duc est entré dans son atelier au moins une fois.

— Qu'en concluez-vous ?

Higgins consulta ses notes et recommença à marcher.

— En chargeant Louis Ricci de manière excessive, l'assassin semble avoir commis une erreur grossière. Je crois plutôt qu'il suivait une tactique. Le carnavalier, quelle que fût la gravité de ses méfaits, n'est qu'un exécutant. En se penchant sur son cas, on s'intéressait forcément à ceux qui le manipulaient. Qu'en pensez-vous, M. Michelotti ?

CHAPITRE XXXIV

Higgins s'arrêta devant Pierre Michelotti, qui se tassa davantage sur lui-même, comme s'il cherchait à rentrer sous terre.

— On m'en veut, c'est vrai, et on cherche à me nuire. Mais c'est la lutte du pot de terre contre le pot de fer. Que Ricci soit un assassin, c'est bien possible. Qu'il fasse comme moi et qu'il se débrouille tout seul.

— Vous êtes un cas étrange, M. Michelotti.

— Pourquoi? Parce que je suis le seul honnête homme de cette assemblée de truands?

Scott Marlow s'empourpra.

— Vous oubliez qu'il y a ici des dames de qualité. Excusez-vous immédiatement!

— Bon, ça va... Tout le monde peut avoir un mot de trop.

— Ce qui est étrange, continua Higgins très concentré, c'est votre innocence apparente. Quand je mets les indices matériels en rapport avec les suspects, vous n'apparaissez pas. Je nourrissais un espoir avec le poignard, que vous ne niez pas avoir eu en mains, mais qui ne vous appartenait plus lorsque le duc a été assassiné.

Pierre Michelotti tortilla les poils de son abondante moustache noire.

— Eh oui, c'est comme ça... Je ne suis pas responsable.

— Qui sait ? Le vol a peut-être eu un rôle décisif dans cette affaire. Si l'on admet que l'assassin a dérobé de la colle, du papier et de la corde chez Louis Ricci, pourquoi ne serait-il pas entré chez Marc-Antoine Armani pour s'emparer du poignard, tuer le duc et faire accuser le propriétaire de l'arme ?

Armani, souriant, se tourna vers ses amis Ricci et Boyer, afin de leur exprimer sa satisfaction. La situation évoluait beaucoup mieux qu'il ne l'avait supposé. Scotland Yard méritait sa réputation de meilleure police du monde. Enfin, Higgins faisait la part des choses.

— Imaginez ce qui vous plaira, inspecteur.

— Eh bien, imaginons que vous soyez le voleur.

Une énergie inattendue anima le corps épais de l'abbé des fous. Le front bas se releva, les larges épaules se déployèrent. Très lentement, Pierre Michelotti se leva.

— On m'a traité de tous les noms, on m'a accusé de tous les délits, on cherche à me faire porter tous les chapeaux, mais voleur, ça, je ne l'accepterai pas ! De toute mon existence, je n'ai dérobé ni une orange ni un centime !

Scott Marlow crut que l'abbé des fous réservait

un mauvais sort à Higgins, tant ses veines étaient saillantes et ses muscles tendus. L'ex-inspecteur-chef ne se départit pas de son calme.

— Voilà une cause entendue, M. Michelotti. Vous n'êtes pas un voleur. Serons-nous aussi catégoriques en ce qui concerne votre qualité d'assassin ?

Rasséréné, Pierre Michelotti se rassit.

— C'est un autre problème. Je nie tranquillement, vous démontrez, on juge.

— Vous m'avez menti à propos de l'incident grave du dernier carnaval.

— Vrai. J'avais mes raisons.

— M. Armani est prêt à témoigner contre vous.

— Ça ne change pas. Chez lui, c'est une manie.

— Dis donc, mon petit Pierre ! intervint l'incriminé.

— Si tu continues à m'appeler comme ça, je vais te casser ta grande gueule.

Armani se leva.

— On se tient tranquille ! rugit le commissaire Martini. Pour le moment, tout se passe bien. Que ça continue.

— Les flics entre eux ! murmura le propriétaire terrien, en reprenant une posture faussement décontractée.

— Vous vous êtes donc battu avec Andrew de Stonenfeld, rappela Higgins.

— C'était lui le fautif et il l'a reconnu.

— Il vous a quand même ridiculisé.

— Mon pauvre amour-propre est aussi mort que le duc.

— Ces propos sont scandaleux ! s'écria Victoria Pendleton. Ce personnage est un monstre sans cœur !

— Pour avoir du cœur, ma bonne dame, il faut avoir les moyens... Moi, je ne les ai plus.

Higgins consulta son carnet noir.

— Il existe quand même un indice matériel auquel vous êtes directement relié : le *mocoletto* qui, selon vos propres paroles, « incarne notre destin et ne doit s'éteindre à aucun prix ».

— Je confirme.

— En ce cas, vous êtes le meurtrier du duc Andrew de Stonenfeld.

Scott Marlow fit un pas en direction de Pierre Michelotti, sincèrement étonné.

— Pourquoi cette accusation ?

— Marc-Antoine Armani m'a mis sur la piste, expliqua Higgins, en insistant sur l'existence du *mocoletto*. Louis Ricci pourra confirmer votre culpabilité. Il a été le témoin visuel de votre acte.

— Je vous avais demandé de tout oublier !

— Un peu tard, M. Ricci. Alors, M. Michelotti, cette bougie au nom du duc de Stonenfeld que vous avez soufflée et piétinée pour préparer magiquement votre crime... Le nierez-vous ?

L'abbé des fous se tapa sur les cuisses.

— Il faudra que Ricci fasse vérifier sa vue ou devienne moins venimeux.

— J'étais là, Pierre !

— La bougie, je l'ai allumée, soufflée et piétinée, d'accord. Mais pour le nom gravé dans la cire, tu es sûr de toi ?

Louis Ricci hésita.

— A la réflexion, j'étais loin...

— J'avais bien gravé un nom, avoua l'abbé des fous : celui d'Armani. Celui-là, si je pouvais l'écrabouiller comme une bougie !

Le propriétaire terrain se rua sur Michelotti. Higgins l'attrapa par le poignet et l'immobilisa en exerçant une pression du pouce à un endroit très précis.

— Souhaitez-vous être paralysé, M. Armani ?

Le Niçois roula des yeux effrayés.

— Allez vous rasseoir et n'intimidez plus les témoins.

Marc-Antoine Armani regarda Higgins comme s'il était le diable. Tâtant son poignet douloureux, il obéit.

— Moi, déclara Michelotti, je déplore vraiment la disparition du duc. Nous n'étions pas des amis, mais il était de taille à tenir en laisse Armani. Grâce à Stonenfeld, j'aurais peut-être retrouvé ma place au conseil municipal. Dans mes épreuves, je me sentais moins seul. Je ne comprends pas pourquoi vous n'arrêtez pas un coupable que tout désigne. Avez-vous vu ma tête ?

Bertin Boyer retint avec peine un éclat de rire.

— Excusez-moi... C'est nerveux ! Mais sa tête...

— Elle vous vaudra une inculpation pour coups et blessures volontaires, déclara Higgins.

L'hilarité du marin retomba aussitôt.

— Holà ! holà ! Ça ne colle plus du tout !

— Vous m'avez pratiquement avoué une agression sur la personne de M. Michelotti. Nous trouverons sans peine des témoins qui vous ont vu prendre la fuite. Si vous niez, le délit sera considéré comme tentative d'assassinat. Vous avez été fort imprudent d'agir à visage découvert.

Bertin Boyer prit le commissaire à témoin.

— On s'égare, là...

— Je crains que non, répondit Martini.

— A force d'attirer l'attention sur Pierre Michelotti, conclut Higgins, on en a fait un bouc émissaire trop visible. Certes, il permettait à d'autres personnes de jouer la comédie pour mieux rester dans l'ombre.

Higgins délaissa l'abbé des fous, fit quelques pas et s'arrêta devant Angela Paladi.

CHAPITRE XXXV

La belle Italienne tournait ostensiblement le dos à l'ex-inspecteur-chef.

— J'aimerais entendre votre version du crime.

— Vos divagations m'épuisent, inspecteur. Pendant une journée comme celle-ci, nous devrions être couchés sur l'herbe et regarder le ciel, loin des turpitudes humaines.

— Dois-je comprendre que seules les turpitudes testamentaires vous intéressent ?

Piquée au vif, Angela Paladi accepta le défi.

— Et quand cela serait ? Andrew m'a fait souffrir. Que son fantôme m'évite au moins la pauvreté.

Victoria Pendleton se leva.

— Puis-je me retirer, inspecteur ? Je ne veux pas en entendre davantage.

— Désolé, mademoiselle. C'est une faveur que je ne peux pas vous accorder.

Dépitée, la secrétaire particulière reprit sa position initiale. L'Italienne la regarda avec dédain.

— Dans cette bande d'hypocrites, dit-elle avec

agressivité, ma sincérité dérange ! Oui, je trompais mon mari... Quelle femme délaissée se serait comportée autrement ? Je ne suis pas une nonne. Puisque Andrew et moi vivions séparés, je n'avais pas à m'enterrer vivante. Qui me jettera la pierre ?

Personne n'osa répondre à la question d'Angela Paladi. Victoria Pendleton manifesta sa réprobation en se détournant de la scène et en fixant le superintendant, qui lui offrit un sourire complice.

— Vous êtes reliée à l'une des armes du crime, rappela Higgins. Longtemps, j'ai supposé que l'assassin avait décroché le boulet de canon pour fracasser la tête du duc après l'avoir tué. Cette théorie est peut-être fausse. Ce boulet ne serait-il pas la véritable arme du crime ?

— Comment le saurais-je ?

— Vous êtes très jalouse, madame. Vous auriez volontiers étranglé les fiancées d'Andrew de Stonenfeld. Supposons un instant que vous ayez appris l'existence de Ségurane Guini et cru à sa prochaine union avec votre mari.

— Absurde !

— Cela expliquerait votre refus obstiné de divorcer.

— Pour moi, le divorce équivalait à la misère.

Higgins relut une page de son carnet noir.

— Si quelqu'un d'autre a mis le grappin sur la fortune de mon mari, avez-vous affirmé, je le trouverai et le tuerai. En l'occurrence, il s'agit d'une autre femme.

— Votre raisonnement n'a aucune valeur,

puisque c'est vous qui m'avez présenté cette Ségurane. Je ne savais pas qu'Andrew fréquentait cette petite.

Ségurane approuva. Elle innocentait Angela Paladi.

— Je n'ai pas tué un rival ou une ennemie, précisa l'Italienne. C'est Andrew qui est mort. Il est toujours mon mari, je vous le rappelle. Je suis catholique et une catholique ne divorce pas.

Sur ce point particulier, Scott Marlow, qui était célibataire et légitimiste, ne désapprouvait pas la trop pulpeuse Méditerranéenne.

— Si vous avez quelque chose de précis à me reprocher, inspecteur, faites-le. Je n'ai ni volé ni tué et ne connaîtrai pas la pauvreté. J'attaquerai ce testament stupide et j'obtiendrai ce qui m'appartient. Pourquoi ne demandez-vous pas à l'héritière comment elle s'y est prise pour supprimer mon mari ?

Higgins se dirigea vers la jeune femme aux cheveux noirs.

Elle ne baissa pas les yeux.

— Je refuse cet héritage, déclara-t-elle. Si Angela Paladi estime que la fortune du duc lui appartient, qu'elle la garde.

Sans se retourner, Higgins interrogea la secrétaire particulière.

— Connaissiez-vous la teneur du testament, Mlle Pendleton ?

— Non, inspecteur.

— Qu'en pensez-vous ?

— La morale impose de respecter les volontés d'un mort, qu'elles soient ou non aberrantes.

— Merci de votre aide, ironisa Angela Paladi. Je me passerai de vous, comme d'habitude. Quant aux belles déclarations de Ségurane, quelle mascarade ! A présent, elle regrette sa méprisable stratégie et tente de s'innocenter en rejetant la fortune qu'elle convoitait. Trop tard. Non seulement je contesterai le testament mais encore je traînerai cette scélérate en justice.

— Vous perdrez, madame ! prédit la jeune Niçoise. Et vous serez ridicule.

L'Italienne haussa les épaules et se drapa dans une dignité bafouée.

— En consultant mes notes, dit Higgins à Ségurane, je me suis aperçu que Pierre Michelotti ne semblait avoir aucun lien avec vous. Etonnant, pour un abbé des fous. Ignorer l'existence de la plus célèbre vendeuse d'œillets du marché aux fleurs...

— Je ne vais jamais au marché, affirma Pierre Michelotti. La vérité est toute simple : nos chemins ne se sont pas croisés.

— C'est exact, confirma Ségurane.

L'ex-inspecteur-chef raya une ligne. Une hypothèse détestable disparaissait.

— L'œillet à la boutonnière vous relie directement au crime, Mlle Guini. Le duc avait-il l'habitude d'en porter, Mlle Pendleton ?

— Non, inspecteur.

— Comment tuerait-on un homme avec une fleur ?

Ségurane Guini se recueillit.

— Je lui ai offert ce cadeau d'adieu. Je ne sors jamais de chez moi sans un œillet. Quand j'ai découvert Andrew ensanglanté, martyrisé, j'ai su que le monde s'arrêtait et que le bonheur s'enfuyait. C'était si injuste... Andrew désirait seulement être heureux, vivre caché dans le Vieux Nice, recommencer une nouvelle vie loin d'un monde où il étouffait. Je n'avais que cette fleur, le plus bel œillet de la veille, que je gardais pour notre prochaine rencontre. Je l'ai mise dans sa pochette.

La voix de la jeune femme se cassa. Personne ne pouvait douter de sa sincérité. Bertin Boyer esquissa un geste maladroit vers sa nièce, dont la douleur semblait l'émouvoir. Il renonça à lui porter témoignage de son affection. Ségurane s'enferma dans son chagrin et partit loin, très loin, dans un pays aux frontières inviolables où elle retrouverait peut-être l'âme d'Andrew de Stonenfeld.

CHAPITRE XXXVI

Higgins ne serait plus d'aucune aide pour Ségurane. Aussi passa-t-il devant Michelotti et Scott Marlow pour se camper devant Victoria Pendleton.

— Ces exubérances sentimentales sont scandaleuses. Sachez que je les désapprouve et qu'elles me choquent profondément. La passion ainsi exprimée est dégradante.

L'ex-inspecteur-chef tourna plusieurs pages de son carnet noir.

— Me voici contraint d'exécuter une bien pénible tâche, mademoiselle.

Le superintendant sourcilla. Quels reproches nourrissait Higgins à l'encontre de la secrétaire particulière? Si son collègue franchissait certaines limites, il se verrait obligé de le rappeler à l'ordre.

— Consentez-vous à dire la vérité, mademoiselle, ou m'obligerez-vous à vous l'arracher?

Victoria Pendleton demeura très digne.

— Vos propos sont incompréhensibles.

— Vous ne me laissez pas le choix.

Higgins regarda la secrétaire anglaise sans animosité. Il espérait la manifestation d'un remords. Mais le chignon ne remua pas et le buste resta droit.

— Vous êtes une personne de qualité, Mlle Pendleton, très scrupuleuse, respectueuse des principes de vertu et de morale. Votre compétence est indiscutable, de même que votre attachement à la famille Stonenfeld. On peut même admettre que vous êtes irremplaçable. De l'extérieur, votre personnage paraît impeccable.

— Je n'ai rien à me reprocher.

— Dans le cadre de votre travail, c'est exact.

— Mon existence entière est consacrée au travail.

— Pas tout à fait, mademoiselle. Le duc vous accordait-il un jour de congé ?

— Eh bien...

— Le vendredi, précisa Angela Paladi.

— Le vendredi, répéta Higgins. Une porte, à l'angle de la rue de la Croix et de la rue Rossetti... Dois-je aller plus loin ?

— A quoi faites-vous allusion ?

— Cette porte est celle d'un club très fermé où ne pénètrent que des citoyens britanniques dûment parrainés. Ils viennent s'y amuser, boire et danser.

— Ce n'est pas mon style.

— Les adhérents du club sont masqués car ils tiennent à leur honorabilité. Mais il y a mille et une manières de se trahir. En portant certains vêtements, par exemple. Que diriez-vous d'une robe en mousseline verte, aux points orange et à l'échancrure en dentelle rouge ?

Angela Paladi regarda la secrétaire particulière.

— C'est elle qui a volé ma robe...

— Personne ne peut le prouver, objecta Victoria Pendleton.

— Un homme le pouvait : Archibald Samson. Il est mort empoisonné. Un plat de champignons non comestibles.

— La fatalité.

— Une fatalité soigneusement organisée, mademoiselle. Vous portiez une autre robe, violette, jaune, noire avec un décolleté dorsal.

— C'est complet ! s'exclama Angela Paladi. L'austère Mlle Pendleton, une voleuse qui menait une double vie ! Ça ne m'étonne pas, au fond. Ces vieilles Anglaises ne songent qu'à faire la fête sans se l'avouer.

Scott Marlow, troublé et révolté, ne trouva pas les mots adéquats. Il espérait que Higgins se livrait à une simple provocation.

— Il faudra apporter la preuve de vos horribles allégations, contre-attaqua la secrétaire particulière.

— Ce ne sera pas trop malaisé. Nous commencerons par vous faire revêtir les robes, qui doivent vous aller à ravir, puis...

L'Anglaise se leva, blême.

— Non, pas ça... Je refuse !

— Si vous êtes innocente, que craignez-vous ?

Quelques cheveux fous s'échappèrent du chignon. Victoria Pendleton baissa les yeux comme une petite fille prise en faute.

— Voici ce qui est arrivé, expliqua Higgins. Votre apparence austère cache une femme qui n'est pas dépourvue de charme. Confinée dans ce palais niçois, vous étiez pourtant sensible, comme n'importe qui, à la gaieté naturelle de ce pays et à sa joie de vivre. Hors de question, dans votre position, de vous mêler à n'importe qui. L'existence d'un cercle très discret et strictement britannique vous convenait à merveille. En revêtant les robes d'Angela Paladi, dont vous n'êtes pas physiquement très différente, vous étiez certaine de passer inaperçue ou, au pire, de la faire accuser. Sans doute avez-vous procédé à quelques retouches.

L'Italienne considéra l'Anglaise avec des yeux différents.

— C'est pourtant vrai que Miss Victoria est une belle femme... Si elle se coiffait autrement, elle ferait dix ans de moins!

— Excellente observation, approuva Higgins. Tel est bien l'avis du portier actuel du club. Mlle Pendleton, en privé, retrouve une jeunesse qui nous épuiserait tous. Elle se montre infatigable et entraînante.

— Pourquoi une solution aussi compliquée? interrogea Scott Marlow. Et si c'était tout simplement Angela Paladi qui, vêtue de ses propres robes, se fût présentée comme Anglaise?

— Ce fut ma première hypothèse, superintendant, mais je l'ai écartée à cause d'un fait précis. Dans ce cercle, il y a une table de jeu. La femme qui portait les robes incriminées buvait et dansait mais ne jouait jamais. Angela Paladi n'aurait certainement pas résisté à cet attrait.

— Certes non, confirma l'Italienne. Il faut toujours tenter sa chance.

Brisée, soudain vieillie, Victoria Pendleton se rassit en gardant les yeux baissés. Déçu, Scott Marlow eût préféré qu'Higgins ne la condamnât pas à l'opprobre public. Son crime contre la morale ne méritait pas une sanction aussi sévère.

— Votre vie privée, continua l'ex-inspecteur-chef, n'aurait pas été cruellement étalée si vous n'étiez capable de meurtre. Je vous accuse d'avoir empoisonné Archibald Samson, le portier du club.

Le superintendant s'attendait à une dénégation vigoureuse de la part de Victoria Pendleton. Mais elle demeura silencieuse et prostrée.

— Votre robe préférée était celle en mousseline verte. Angela Paladi l'avait portée lors d'une réception où elle n'était pas passée inaperçue, je suppose.

— Ce n'est pas mon genre, reconnut l'Italienne.

— Ce fut une imprudence, Mlle Pendleton. Archibald Samson a reconnu cette robe et mené une enquête d'autant plus aisée qu'il habitait non loin d'ici. Il vous a identifiée et soumise à un chantage. Etre dénoncée au duc aurait abouti à un renvoi qui était pire que la mort. Il ne vous restait qu'une solution : supprimer le maître chanteur. Vous vous êtes rendue à la pharmacie du palais. Lascaris et avez repéré la section des poisons historiques, avec l'intention d'en dérober un. S'il n'avait pas été efficace, vous auriez utilisé une autre méthode. Le sort a voulu que vous réussissiez. Connaissant sans doute le goût d'Archibald Samson pour les champignons, peut-être avez-vous poussé le souci de la perfection jusqu'à choisir une arme mortelle issue de la mycologie. Le maître chanteur éliminé, vous pouviez retourner au club en prenant une précaution : changer de robe, afin de ne pas être identifiée par le nouveau portier. Seule la mort du duc de Stonenfeld a mis fin à vos distractions nocturnes.

Victoria Pendleton ne protestait pas.

— Il faudra perquisitionner cette maison et procéder à l'exhumation du corps d'Archibald Samson.

— Ce ne sera pas nécessaire, inspecteur. Votre reconstitution des faits est parfaite. Je n'ai aucune circonstance atténuante bien que ce Samson fût un personnage odieux et méprisable. Puisqu'il n'y a plus de Stonenfeld à servir, mon existence n'a plus guère de sens. Etre en prison ici ou ailleurs...

Des circonstances atténuantes, estima le superintendant. Victoria Pendleton en avait beaucoup. Les juges seraient sensibles à sa détresse et à sa dignité.

— Telle était l'une des enquêtes parallèles que je devais mener, indiqua Higgins, et qui a quelque peu obscurci ma démarche principale : identifier la main criminelle qui a mis fin aux jours d'Andrew de Stonenfeld. D'autres suspects pourront sans doute nous éclairer. A commencer par M. Boyer.

CHAPITRE XXXVII

Bertin Boyer tira à la fois sur son cigare et sur les pans de la veste de son costume prince-de-galles. Higgins se retourna, coupa le cercle et vint à ses côtés.

— Cher monsieur Boyer... je suis persuadé que vous n'êtes pas au terme de vos confidences.

— Moins on en dit, mieux on se porte.

Higgins consulta ses notes.

— La colle, le papier, le boulet, le poison, le poignard, la corde, l'œillet, le *mocoletto*... vous n'apparaissez nulle part. On jurerait presque que l'assassinat du duc ne vous concerne pas.

— C'est bien mon avis. Hommage soit rendu à votre objectivité. C'est une qualité que j'apprécie beaucoup chez les Anglais. Quand je vous ai vu apparaître dans le paysage, je me suis tout de suite senti en sécurité.

— Je suis très touché, reconnut Higgins. D'ordinaire, la venue d'un policier rend plutôt inquiet. Passons sur la nécessaire inculpation pour coups et blessures sur la personne de Pierre Michelotti...

— On s'arrangera, déclara le marin avec un sourire réjoui. Une petite querelle parmi tant d'autres. On a le sang chaud, dans le coin.

— Vous avez aussi beaucoup de sang-froid et vous êtes un peu cachottier, non?

— Ah! inspecteur! Dans mon métier, il faut savoir fermer les yeux et les oreilles. Si j'étais trop bavard, je serais vite déconsidéré.

— Trafic d'alcool et de cigarettes... c'est effectivement une occupation professionnelle qui réclame peu de publicité. Qui était votre véritable patron?

— Je suis un indépendant.

— Ne serait-ce pas le duc de Stonenfeld, par hasard? Il présidait plusieurs sociétés. L'une d'elles ne s'occupait-elle pas de commercialiser des récoltes de tabac? Vous qui appréciez tant la culture britannique fûtes un excellent collaborateur pour le duc... jusqu'au moment où une violente discussion d'affaires vous a opposés. Quand vous l'avez jeté à l'eau, la tentation fut grande de l'y abandonner. Une noyade vous aurait débarrassé d'un supérieur devenu trop encombrant.

Marc-Antoine Armani intervint avec la solennité d'un homme d'Etat.

— Il y a erreur, inspecteur. Le seul patron de Boyer, c'est moi. N'essayez pas de m'ôter mes attributions. Le duc exploitait du tabac, d'accord, mais pour l'industrie. Nous, on donne dans le raffiné et dans l'élégant. On ne fume que du luxe. Boyer est un employé modèle qui ne travaille que pour moi.

Le marin approuva avec vigueur.

— J'oubliais un autre indice matériel, continua Higgins : le testament. Celui-là ne vous était pas étranger.

— Là-dessus, je vous ai tout raconté de moi-même et j'ai fait preuve d'une grande bonne volonté.

— Façon de voir. Nous pourrions convenir que, comme d'habitude, vous avez agi sur ordre de M. Armani afin de procéder à une captation d'héritage. Le duc a été assez naïf pour croire à votre sincérité lorsque vous l'emmeniez en barque en compagnie de Ségurane, tout aussi crédule. Votre nièce vous est indifférente mais elle devenait un pion sur l'échiquier, un pion qu'il fallait choyer avant de jouer le coup décisif. Faire rédiger le testament en votre faveur était impossible ; devenir le dépositaire du document qui donnait la fortune des Stonenfeld à Ségurane, en revanche, couronnait un travail de longue haleine. Comme votre nièce est mineure, vous auriez obtenu la gestion de ses biens.

— C'est la loi ! protesta Bertin Boyer.

— La loi va vous envoyer en prison. Il y a suffisamment de chefs d'accusation contre vous.

Le commissaire Martini approuva d'un signe de tête. Marlow se demanda si Higgins accuserait le marin de meurtre. Sa violence naturelle le condamnait presque à jouer ce rôle. Mais l'ex-inspecteur-chef abandonna le patron de la *Luna* et se déplaça sur la gauche de celui-ci pour faire face à Marc-Antoine Armani.

— Voici l'heure de vérité, M. Armani.

Le propriétaire terrien, d'un doigt habile, remit en place sa pochette verte. Sous le soleil, son costume blanc brillait d'un vif éclat.

— J'ai la conscience en paix.

— Bel exploit, jugea Higgins, pour un homme qui avoue avoir possédé l'arme du crime.

— Le poignard? On ne va pas revenir là-dessus! Mon témoignage fut net et précis.

— Un vol, avez-vous dit. Mais qui est le voleur?

— N'importe qui... Enfin, je veux dire l'assassin... c'est à vous de le découvrir!

— Et si le voleur n'existait pas? Si vous aviez utilisé vous-même cette arme pour poignarder le duc?

Marc-Antoine Armani leva les mains dans un geste de prière.

— Sainte Réparate, épargnez-moi ces outrages! Qu'ai-je fait au ciel pour être ainsi traîné dans la boue?

— Vous êtes un citoyen zélé, rappela Higgins. C'est vous qui m'avez mis obligeamment sur la piste du *mocoletto* afin d'aboutir à la culpabilité de votre ennemi de toujours, Pierre Michelotti, qui disait d'ailleurs de vous : « Il trahira ses meilleurs amis pour garder son pouvoir. » M. Bertin ne l'a pas encore compris.

— Les paroles d'un moins que rien ne comptent pas.

— Niez-vous avoir demandé à Bertin Boyer de passer à tabac Pierre Michelotti?

— Bien entendu. Bertin a eu une initiative malheureuse, dont je ne suis pas responsable.

Le marin se leva aussitôt, comme mû par un ressort.

— Dis donc, Marc-Antoine, tu ne vas pas me lâcher maintenant ! J'exécute, d'accord, mais le cerveau, c'est toi ! Et l'ordre d'escagasser le Michelotti, c'est bien toi qui l'as donné !

— Il délire, inspecteur. C'est l'émotion. Et puis vous exagérez, vous aussi. Vous transformez une querelle de rue en attentat meurtrier.

Pierre Michelotti désigna du doigt sa blessure.

— Tu l'as vue, ma tête ? La bagarre de rue, je suis prêt à la recommencer, moi avec un gourdin et toi les mains nues.

— Ce type de reconstitution n'aboutira à rien, jugea Higgins. Grâce au témoignage de Bertin Boyer, nous pouvons inculper M. Armani de tentative d'homicide et d'organisation de trafic illicite.

— Parfaitement, approuva le marin, vexé et buté.

Le propriétaire terrien pâlit.

— Bertin... On se connaît depuis des années ! Tu ne vas pas me faire ça, à moi ?

— Tu m'as fait tremper dans trop de magouilles, Marc-Antoine. En plus, je n'en ai pas retiré un grand bénéfice. Et pour pimenter le tout, tu me lâches ! Si ça te revient en pleine figure, tant mieux.

Armani prit Higgins à témoin.

— Regardez-le, inspecteur : il est devenu fou ! Il faut l'enfermer !

— Il sera incarcéré et vous aussi.

L'accusé implora le commissaire.

— Martini ! On est quand même en France... Tu ne vas pas laisser faire ça !

Le policier français prit un air désolé.

— Je crains que les charges retenues contre toi soient trop lourdes, mon pauvre vieux. Pour l'alcool et les cigarettes, ne t'inquiète pas trop. Quelqu'un reprendra bien le flambeau.

Armani jeta des regards affolés autour de lui.

— Tenez-vous tranquille, recommanda Higgins. Nous n'en avons pas terminé.

— Qu'est-ce qu'il y a encore ?

— L'assassinat du duc Andrew.

— Ah ! non ! Ça, je n'en veux pas !

Le commissaire Martini et Scott Marlow s'avancèrent en même temps à l'intérieur du cercle. L'un et l'autre avaient senti que Marc-Antoine Armani se préparait à s'enfuir.

CHAPITRE XXXVIII

— Vous n'allez quand même pas... m'arrêter?

Martini et Marlow, d'une main ferme posée sur l'épaule d'Armani, l'obligèrent à rester assis. Higgins, sans se hâter, relut les notes consacrées au suspect.

— Donc, une relation étroite entre le poignard et le chef des pénitents noirs. Là se trouve peut-être le nœud de l'affaire. Avec perspicacité, M. Armani, vous avez repéré le duc comme une proie possible. Un homme riche, fragile, influençable... une cible des plus intéressantes. Vous êtes entré en contact avec lui et avez réussi à le persuader que sa fortune devait être beaucoup mieux partagée.

— Ce n'est pas un délit mais une obligation morale. En moi, le commerçant n'a pas étouffé le croyant. Oui, le duc Andrew a compris que, pour acquérir la vie éternelle, il devait se montrer généreux avec une confrérie comme la nôtre, qui ne vit que de charité. Et puis...

— Et puis?

— Le duc se croyait un peu maudit. Toute cette

richesse ne l'empêchait pas d'être malheureux. Il la jugeait trop pesante, presque dangereuse. Je l'ai aidé à soulager son fardeau.

— Avec beaucoup de succès, n'est-il pas vrai?

— C'est Dieu qui m'a inspiré. Grâce à Lui, nos routes se sont croisées.

— Je me demande si c'est vraiment l'avis du duc Andrew. Etait-il déjà pénitent noir?

— Pas encore.

— Pourquoi cette attente?

— Pour le préparer religieusement...

— L'explication est un peu faible, M. Armani. En réalité, vous teniez le duc en haleine. Sans doute devait-il payer de plus en plus cher pour accéder à la confrérie.

— C'était son vœu. Je ne m'y suis pas opposé.

— Un magnifique conditionnement... Dommage que vous ayez commis une grossière erreur.

— Les comptes de la confrérie sont en ordre.

Higgins regarda Armani avec sévérité.

— Vous avez tenté de séduire Ségurane et même de la violenter. Ce comportement répréhensible s'ajoutera aux autres délits.

— Cette petite n'a pas compris l'intensité de mes sentiments... Pourquoi noircir la situation?

— Ségurane a parlé de votre agression au duc Andrew. Vous l'aviez menacée de représailles, notamment en lui supprimant les livraisons d'œillets.

— Une parole en l'air... Je ne suis pas un homme méchant. D'ailleurs, tout s'est arrangé. Ségurane n'a jamais manqué de fleurs.

— Tout s'est arrangé à cause de l'intervention du duc Andrew, précisa Higgins. Il a dû vous reprocher votre méprisable attitude de la manière la plus véhémente. Vous, le chef des pénitents noirs, vous comporter comme une bête en rut...

— C'est inadmissible, inspecteur, inadmissible ! Moi, Marc-Antoine Armani !

— Vous, Marc-Antoine Armani, avez senti le vent du déshonneur et de l'infamie lorsque le duc a menacé de dévoiler votre véritable personnalité et de supprimer les subsides qu'il vous versait. Pour vous, le début de la fin. Au lieu d'offrir sa fortune aux pénitents noirs, le duc ferait hériter Ségurane. Quel échec, M. Armani ! Par dépit et pour éviter des révélations ô combien gênantes, vous avez supprimé le duc de Stonenfeld. De lui, vous n'attendiez plus de l'argent mais de graves ennuis.

Le propriétaire terrien devint presque suppliant.

— Le duc m'a reproché ma faute, c'est vrai, mais il ne m'a pas menacé, je vous le jure ! Ce n'était pas dans sa nature. Il m'a seulement demandé de ne plus jamais m'approcher de Ségurane et de ne lui causer aucun préjudice. J'ai obtempéré, bien entendu.

— Le jurez-vous sur sainte Réparate ?

Marc-Antoine Armani n'hésita pas.

— Oui, inspecteur !

Higgins referma son carnet noir et le glissa dans la poche de son blazer.

— Je vous crois sur parole. Le duc n'était pas un bandit de votre espèce.

Scott Marlow et le commissaire Martini tournèrent leur regard inquiet vers l'ex-inspecteur-chef.

— Enfin, Higgins... qui est l'assassin ? demanda le superintendant.

— Il faut nous rendre à l'évidence, messieurs ; il n'y a pas d'assassin.

— Le duc ne s'est quand même pas tué tout seul !

— En termes plus techniques, cela s'appelle un suicide.

— Un suicide ?

— La solution s'impose. Nous n'avons aucune preuve contre l'un ou l'autre des suspects. A l'exception de Ségurane, cependant, tous ont commis des actes répréhensibles qu'il appartiendra à la justice de condamner.

— Pourquoi le duc se serait-il supprimé ? demanda Martini.

— Tout le monde le sait : il voulait épouser Ségurane, mais l'épouse légitime refusait obstinément de divorcer. Situation sans issue.

— Il serait mort... par amour ? s'étonna Armani.

— Par impossibilité de vivre un amour, rectifia Higgins.

Marlow jugea ce mobile bien léger. Fallait-il que le duc fût un esprit torturé et passablement déséquilibré pour arriver à de telles extrémités...

— Comment s'y est-il pris ? interrogea l'abbé des fous.

— Il avait découvert le poison utilisé par Victoria Pendleton. Après avoir absorbé cette substance toxique à action lente, il est venu trépasser dans ce Vieux Nice qu'il appréciait tant, le seul endroit où un pauvre bonheur lui avait souri.

— La corde autour du cou? demanda Bertin Boyer.

— Celle du pénitent qu'il n'est pas devenu. Il s'humiliait et implorait le pardon du Seigneur pour son geste de désespoir.

— La bouche scellée?

— Il signifiait ainsi que ses lèvres devaient demeurer muettes. Le duc avait tout tenté pour être heureux mais le destin restait résolument contraire. Plus aucune parole ne pouvait le sauver.

Le superintendant restait sceptique. Cette mise en scène rivalisait avec les plus mauvaises productions du théâtre d'horreur. Stonenfeld s'était comporté comme un masochiste au cerveau particulièrement dégradé.

— Mais le poignard? s'enquit Ségurane.

— Deux solutions, expliqua Higgins. Ou bien il s'est poignardé lui-même à la manière japonaise ; ou bien quelqu'un a assassiné un cadavre. La même personne a défoncé le crâne d'un corps sans vie.

Les uns et les autres s'examinèrent, cherchant à savoir lequel d'entre eux s'était comporté avec autant de lâcheté et de barbarie.

Marlow attendit que l'ex-inspecteur-chef donnât le nom du misérable personnage.

— Il s'agit peut-être d'un rôdeur, déclara l'ex-inspecteur-chef. Le commissaire Martini identifiera ce triste sire un jour ou l'autre. Vous pouvez retourner au congrès, mon cher Marlow.

Le superintendant, troublé, ne remarqua pas un ultime détail : le regard de gratitude que l'assassin adressa à Higgins.

CHAPITRE XXXIX

Au sommet de la colline du château, Higgins goûta l'air frais de l'aube. Scott Marlow, qui s'était habitué à la douceur de l'automne niçois, avait un peu froid. Au congrès, la tension était retombée. On analysait scientifiquement le suicide le plus rocambolesque de l'histoire franco-britannique.

La Méditerranée s'éveillait, paisible, sous un ciel d'azur.

— L'heure est matinale, pour une promenade.

— Il n'y a pas d'heure pour le crime, mon cher Marlow.

— Le duc?

— Je voulais vous réserver la vérité, superintendant. Vous seul êtes capable de comprendre.

Scott Marlow éprouva une grande fierté. Obtenir la confiance de Higgins et en bénéficier à ce point-là n'était pas accordé à n'importe qui.

— Je vous sais gré de cette marque d'amitié.

— Bien sûr, vous aviez senti que je tentais de rendre acceptable une invraisemblance.

— Bien sûr. Mais qui...

— L'existence du duc a été une succession de malheurs. Une mère morte en couches, des fiançailles rompues, un mariage insupportable, des chiens qui trépassent, une maison dont la toiture s'effondre, et même une pelouse qui ne verdit pas... bref, une existence impossible où sa seule réussite était l'argent. Il ne faisait vraiment pas son bonheur. Un bonheur qu'il avait trouvé auprès d'une petite marchande de fleurs niçoise, la seule femme qui ne s'intéressait pas à sa fortune. Lui qui n'avait connu qu'une succession d'échecs dans le domaine sentimental vivait un authentique miracle. Grâce à Ségurane, il passait de l'ombre à la lumière. Il désirait les joies les plus simples : s'installer dans le Vieux Nice où il partageait déjà une *souffieta* avec la femme qu'il aimait. En déposant sa charge trop lourde, en trouvant enfin la paix sur l'épaule de Ségurane, il atteignait son but. Vous imaginez, superintendant : un Anglais de haut lignage s'installer dans le Vieux Nice ! Une véritable révolution. Fallait-il que le duc Andrew fût amoureux... Mais on n'échappe pas au malheur qui vous attend au détour, même si l'on s'enfuit par mille chemins de traverse. Pour Andrew de Stonenfeld, ce malheur portait un nom : Victoria Pendleton.

— La secrétaire particulière du duc... Ce serait elle qui...

— Bertin Boyer n'a pas menti quand il a affirmé n'avoir recueilli aucune rumeur sur le crime alors que de nombreux bruits circulent à propos de petits délits. Logique, puisque la meurtrière est une Anglaise qui ne s'est jamais mêlée aux Niçois. Victoria écartait du duc les intrigantes qui en voulaient à sa fortune et ne reconnaissait même pas la validité du mariage avec Angela. Elle savait aussi qu'Armani lui extirpait des sommes considérables pour les pénitents noirs. Quand elle a compris qu'il désirait épouser une marchande de fleurs niçoise, trahir son nom et son rang, Victoria a décidé d'agir. Une phrase d'Angela m'a éclairé : « Sa plus grande peine, c'est de ne pas avoir recueilli les dernières volontés du fils ». C'est donc qu'elle avait recueilli celles du père. En quoi consistaient-elles sinon dans le respect absolu de l'honneur des Stonenfeld? Victoria Pendleton a tué au nom de la tradition et des valeurs morales d'une société presque disparue, mon cher Marlow. Sans doute avait-elle juré au père d'Andrew qu'elle ne laisserait pas son fils sortir du droit chemin. Elle protégeait le duc à la manière d'une mère qu'il n'avait pas connue. Le jour où il a décidé de tout quitter et de renier la lignée des Stonenfeld en s'abaissant à une mésalliance, Andrew se condamnait lui-même à disparaître.

— Les armes du crime?...

— Elle a volé le poignard chez Armani. N'oubliez pas que Victoria connaissait bien le Vieux Nice. Elle croyait jeter une lourde suspicion sur le chef des pénitents noirs qu'elle haïssait. Ne dévalisait-il pas le duc de manière légale? En choisissant ce poignard si caractéristique, elle ne se doutait pas qu'elle mettait aussi en cause l'abbé des fous. Papier, colle et corde étaient faciles à trouver et nous orientaient vers les mystères du carnaval.

— Et le boulet?

— Idéal pour accuser la femme du duc, l'étrangère détestée. Victoria Pendleton a tenté de brouiller les pistes. Elle espérait que la police accréditerait la thèse d'un complot fomenté par plusieurs assassins

— Mais c'est monstrueux!

— Un autre mobile l'a poussée à agir sans plus tarder : de dangereux placements financiers qui auraient conduit le duc au scandale et à une inculpation. Avec sa disparition, cette grave menace s'éteignait. L'honneur des Stonenfeld ne serait pas souillé.

— Et vous ne l'avez pas identifiée formellement...

— Elle sera condamnée pour meurtre avec préméditation. En ce qui concerne le duc, elle estime n'avoir fait que son devoir. A vous de juger, superintendant : faut-il proclamer la vérité sur la place publique?

— Mais enfin, Higgins, vous me donnez une responsabilité qui...

— Le vieux Will avait raison : *Il n'est rien de si bon qui, détourné de son légitime usage, ne devienne rebelle à son origine et ne tombe dans l'abus. La vertu même devient vice, étant mal appliquée, et le vice est parfois anobli par l'action.*[1]

— Il est parfois un peu obscur... Votre interprétation?

— Il faut lire les bons auteurs, pas les interpréter. Nous nous reverrons en Angleterre, mon cher Marlow.

1. Shakespeare, *Roméo et Juliette*, acte II scène III.

La Bugatti s'arrêta à la hauteur de l'ex-inspecteur-chef.

— Vous quittez Nice? demanda Angela Paladi.

— Cette jolie cité n'a plus besoin de mes services.

— Otez-moi d'un doute, inspecteur... Ce n'est pas votre premier séjour ici?

— Vous êtes fort perspicace, madame.

— N'auriez-vous pas une amie marchande de fleurs?

— Il y a si longtemps... Ma mémoire me fait défaut et personne ne peut remonter le temps. Un détail me revient : n'aviez-vous pas promis que si Victoria Pendleton était une dévergondée, vous étiez prête à devenir bonne sœur?

— Un homme de votre expérience n'ignore pas que les femmes n'ont aucune parole. Je pars pour l'Italie... seule?

— A mon âge, la vitesse est déconseillée.

Angela Paladi sourit et la Bugatti démarra dans un crissement de pneus.

Higgins se rendit à pied à la gare. Cachée derrière un pilier, Ségurane le vit monter dans un train qui partait pour le nord. Elle n'avait pas osé aborder l'ex-inspecteur-chef pour lui demander la vérité. A quoi bon, puisqu'elle ne lui rendrait pas Andrew? Au moins, il ne l'avait pas remarquée.

Elle ne vit pas le geste d'adieu que lui adressait Higgins à travers la fenêtre du train.

Composé par EURONUMÉRIQUE *92120 Montrouge*
et achevé d'imprimer en juillet 2000
sur les presses de l'Imprimerie Bussière
à Saint-Amand-Montrond (Cher)

— N° d'imprimeur : 1561 —
— N° d'éditeur : DSY 15 —
Dépôt légal : juillet 2000

Imprimé en France